Stéphane Vallée

Plus de **30** tests
pour se préparer et réussir !

6e année MATHÉMATIQUE

CAR
ACT
ÈRE

Illustrations : Agathe Bray-Bourret et Julien Del Busso
Couverture : Bruno Paradis d'après un concept de Cyclone Design
Illustration de la couverture : EyeWire Images
Révision et correction d'épreuves : Audrey Faille

Imprimé au Canada

ISBN 978-2-89642-043-8

Dépôt légal – Bibliothèque et Archives nationales du Québec, 2008

Canada

Visitez le site des Éditions Caractère
editionscaractere.com

TABLE DES MATIÈRES

Plus de 30 tests pour se préparer et réussir est un ouvrage qui s'adresse aux parents qui souhaitent aider leur enfant à développer ou à étendre leur champ de compétences en mathématique. Les activités qui le composent visent à déterminer les notions acquises et celles qui nécessitent une attention particulière.

Cet ouvrage couvre l'ensemble des savoirs essentiels identifiés dans le Programme de formation de l'école québécoise. Votre enfant pourra ainsi réviser ce qui est appris tout au long de l'année scolaire. Aussi, il ou elle n'a pas à suivre l'ordre des sections : il ou elle peut approfondir et consolider les concepts et processus selon le moment où ils sont abordés par son enseignant ou son enseignante.

Le principe est simple : un premier test portant sur un sujet déterminé vous donnera une idée de ce que votre enfant a acquis et des éléments qu'il ou elle doit travailler. Si le premier test est réussi, le test suivant, qui porte sur un autre sujet, peut alors être entamé. Si vous voyez qu'il ou elle éprouve des difficultés, une série d'exercices lui permettra de s'entraîner. Un deuxième test est donné après la première série d'exercices dans le but de revérifier la compréhension de votre enfant. Si ce test est réussi, le test suivant devient alors son prochain défi, sinon une autre série d'exercices lui permettra de se perfectionner. Chacun des 16 chapitres de cet ouvrage est ainsi divisé.

Les exercices proposés sont variés et stimulants. Ils favorisent une démarche active de la part de votre enfant dans son processus d'apprentissage et s'inscrivent dans la philosophie du Renouveau pédagogique.

Bon travail !

Stéphane Vallée

1. Écris les nombres suivants en chiffres.

a) trois cent huit mille six cent cinquante-quatre   _____

b) neuf cent quatre-vingt-douze mille soixante-dix-sept   _____

c) six cent dix mille deux cent vingt-neuf   _____

d) seize mille treize   _____

e) quatre cent soixante-trois mille cinq cent quarante-deux   _____

f) huit cent quatre-vingt-cinq mille trois cent soixante et onze   _____

2. Trouve la valeur de position du ou des chiffres soulignés.

Exemple : 5$\underline{7}$3 982 : 73 000

a) 424 $\underline{6}$37 : _____   b) $\underline{9}$04 521 : _____

c) 255 $\underline{4}$60 : _____   d) 1$\underline{36}$ 482 : _____

e) 837 2$\underline{94}$: _____   f) $\underline{752}$ 835 : _____

g) 346 $\underline{7}$03 : _____   h) 60$\underline{6}$ 060 : _____

3. Compare les nombres en utilisant les symboles <, > ou =.

a) 7^3 _____ 342   b) 3^5 _____ 244

c)   620 _____ 5^5 d) $2^4 + 3^2$ _____ 25

e) $6^4 - 7^2$ _____ 1200   f)   723 _____ 9^3

g) 4^4 _____ 2^6 h) 8^3 _____ 4^5

4. Place les nombres dans l'ordre croissant.

746 030	640 703	736 400	430 076	673 040	470 603
630 704	364 007	406 730	700 436	370 604	403 706
376 040	634 070	703 640	403 670	730 064	637 004

_____

_____

Test

5. Transforme les nombres écrits en chiffres arabes en nombres écrits en chiffres romains.

a) 3032 : _____

b) 2769 : _____

c) 1887 : _____

d) 3615 : _____

e) 3333 : _____

f) 1524 : _____

g) 2491 : _____

h) 3906 : _____

6. Exprime chaque nombre avec exposant sous forme d'équations, puis trouve la réponse.

Exemple : $6^3 = 6 \times 6 \times 6 = 216$

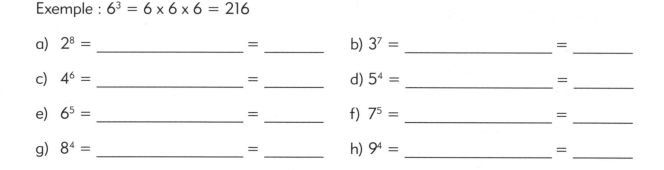

a) $2^8 =$ _____ = _____

b) $3^7 =$ _____ = _____

c) $4^6 =$ _____ = _____

d) $5^4 =$ _____ = _____

e) $6^5 =$ _____ = _____

f) $7^5 =$ _____ = _____

g) $8^4 =$ _____ = _____

h) $9^4 =$ _____ = _____

7. Complète les suites de nombres après avoir déterminé la règle.

a) 23 784, 23 789, 23 794, 23 799, _____, _____, _____, _____

b) 45 836, 45 828, 45 820, 45 812, _____, _____, _____, _____

c) 62 541, 62 548, 62 544, 62 551, _____, _____, _____, _____

d) 34 270, 34 276, 34 279, 34 285, _____, _____, _____, _____

e) 70 008, 69 999, 69 996, 69 987, _____, _____, _____, _____

f) 285 466, 285 467, 285 469, 285 472, _____, _____, _____, _____

g) 519 689, 519 589, 519 489, 519 389, _____, _____, _____, _____

h) 321 465, 323 465, 325 465, 327 465, _____, _____, _____, _____

i) 879 942, 878 942, 879 442, 878 442, _____, _____, _____, _____

j) 458 396, 458 407, 458 418, 458 429, _____, _____, _____, _____

Test

1. Transforme les nombres exprimés sous forme exponentielle en nombres naturels, puis arrondis-les...

		À l'unité de mille près	À la centaine près	À la dizaine près
a)	8^4			
b)	3^7			
c)	5^5			
d)	7^4			
e)	6^5			

2. Dans l'Antiquité, les adresses des résidences romaines étaient écrites en chiffres romains. Transforme les nombres en chiffres arabes.

a) MMCDLXXV = _____   b) MMMCCCXLIV = _____   c) DCCXXXI = _____

d)   CMLVIII = _____   e) MDCCCXCIX = _____   f) MMCMLXVI = _____

3. Les sondes spatiales peuvent parcourir de très longues distances entre les planètes. Place les distances dans l'ordre décroissant.

489 052 km   890 542 km   528 940 km   294 805 km   409 852 km   584 209 km

905 248 km   854 209 km   259 408 km   428 590 km   924 508 km   820 495 km

480 925 km   520 498 km   958 420 km   895 024 km   598 042 km   849 502 km

_____

_____

4. Autrefois, les scribes écrivaient sur du papyrus tout ce que leur dictait leur pharaon. Écris les nombres suivants en lettres.

a) 748 313 : _____

b) 276 575 : _____

c) 490 067 : _____

d) 503 492 : _____

e) 888 936 : _____

f) 327 851 : _____

g) 900 019 : _____

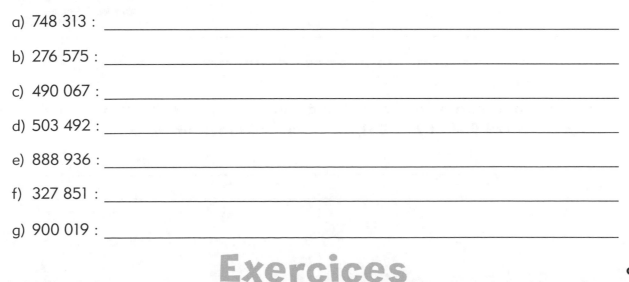

Exercices

5. **Découvre le nombre mystère. Pour ce faire, colorie en bleu les cases qui contiennent un nombre ayant un 7 à la position des dizaines de mille, en rouge celles qui contiennent un nombre ayant un 9 à la position des unités de mille, en vert celles qui contiennent un nombre ayant un 4 à la position des centaines, et en mauve celles qui contiennent un nombre ayant un 5 à la position des unités.**

572 164	976 521	573 928	541 498	134 115	608 795	298 468	659 567
300 675	819 340	713 352	459 572	272 973	716 469	486 135	517 469
163 482	727 423	326 165	334 428	303 235	371 594	645 450	769 892
278 592	678 798	869 364	289 236	425 489	829 176	862 499	426 545
464 885	539 587	433 275	173 589	592 525	975 083	959 526	874 328
609 170	454 215	952 427	969 306	689 884	182 385	739 347	375 394
826 469	371 983	174 592	812 825	761 460	519 651	529 294	943 565
559 758	245 305	605 453	774 518	849 342	291 482	370 941	289 974
488 045	189 362	549 007	689 987	976 619	425 175	173 336	831 458
374 337	963 413	288 451	573 999	159 543	371 592	276 558	194 785
773 849	189 834	272 924	491 469	571 060	758 135	877 777	129 642
309 693	219 536	926 625	674 553	835 406	144 895	753 245	562 375

Le nombre mystère est _____.

6. **La calculette d'Angélique s'est détraquée. Écris tous les nombres impairs situés entre 458 076 et 458 136, sauf ceux qui se terminent par 3.**

_____

_____

7. **La caisse enregistreuse de Louis s'est déréglée. Écris tous les nombres pairs situés entre 729 987 et 730 051, sauf ceux qui se terminent par 8.**

_____

_____

Exercices

8. Les sauterelles sont reconnues pour effectuer de prodigieux bonds. Complète les suites en identifiant la règle.

a) Règle : _____

52, 58, 4^3, 70, _____, _____, _____, _____

b) Règle : _____

5^2, 50, 10^2, 200, _____, _____, _____, _____

c) Règle : _____

230, 3^5, 2^8, 269, _____, _____, _____, _____

d) Règle : _____

393, 7^3, 293, 3^5, _____, _____, _____, _____

e) Règle : _____

4^4, 262, 260, 266, _____, _____, _____, _____

f) Règle : _____

2^9, 4^4, 2^7, 8^2, _____, _____, _____, _____

9. Au bureau des statistiques, un fonctionnaire s'est amusé à décomposer les nombres. Recompose chacun d'entre eux.

a) 4 c + 8000 + 23 d de m + 56 =   _____

b) 5 + 79 c + 60 000 + 9 d + 105 =   _____

c) 203 + 42 + 7 c + 104 + 300 000 =   _____

d) 9 c de m + 54 + 2000 + 7 d de m =   _____

e) 6 u de m + 83 + 34 d de m =   _____

f) 400 000 + 23 + 102 + 50 + 7000 + 2 d de m =   _____

g) 93 d + 60 000 + 8 c de m =   _____

h) 374 c + 43 + 500 000 =   _____

Exercices

1. Décompose les nombres de deux façons.

Exemple : 256 397 = 200 000 + 50 000 + 6 000 + 300 + 90 + 7

2 c de m + 5 d de m + 6 u de m + 3 c + 9 d + 7 u

a) 638 274 = _____

_____

b) 590 128 = _____

_____

c) 824 335 = _____

_____

d) 463 862 = _____

_____

e) 175 483 = _____

_____

2. Arrondis les nombres suivants...

	À la centaine de mille près	À la dizaine de mille près	À la centaine près	À la dizaine près
a) 374 692				
b) 236 273				
c) 582 439				
d) 908 914				
e) 775 527				

3. Compare les nombres en utilisant les symboles <, > ou =.

a) 2^5 _____ 5^2 b) 5^3 _____ 3^5 c) $\sqrt{256}$ _____ 4^3

d) 3^4 _____ 4^3 e) 8^2 _____ 2^8 f) 7^2 _____ 6^3

g) 9^2 _____ 2^9 h) 3^4 _____ 9^2 i) 3^4 _____ 8^2

j) $\sqrt{9}$ _____ 0^3 k) 4^3 _____ 8^2 l) 7^4 _____ 9^3

1. La racine carrée se trouve en identifiant le nombre à la base d'un nombre carré. Trouve la racine carrée des nombres suivants.

a) $\sqrt{64}$ = _____

b) $\sqrt{100}$ = _____

c) $\sqrt{144}$ = _____

d) $\sqrt{225}$ = _____

e) $\sqrt{324}$ = _____

f) $\sqrt{121}$ = _____

g) $\sqrt{400}$ = _____

h) $\sqrt{625}$ = _____

i) $\sqrt{289}$ = _____

2. Les kangourous et les wallabies se déplacent par bonds. Complète les suites de nombres en identifiant la règle.

a) Règle : _____

5^2, 33, 41, 7^2, _____, _____, _____, _____

b) Règle : _____

9^3, 713, 697, 681, _____, _____, _____, _____

c) Règle : _____

$\sqrt{900}$, 40, 35, 45, _____, _____, _____, _____

d) Règle : _____

2^3, 32, $\sqrt{256}$, 4^3, _____, _____, _____, _____

e) Règle : _____

$\sqrt{169}$, 39, 29, 87, _____, _____, _____, _____

f) Règle : _____

10^4, 9750, 9500, 9250, _____, _____, _____, _____

3. Identifie le nombre pair qui vient immédiatement avant et le nombre impair qui vient immédiatement après.

a) _____ 5^2 _____

b) _____ $\sqrt{484}$ _____

c) _____ 673 _____

d) _____ $\sqrt{81}$ _____

e) _____ 9^3 _____

f) _____ 1520 _____

g) _____ 2^5 _____

h) _____ 4799 _____

i) _____ $\sqrt{196}$ _____

Exercices

4. **Edgar veut semer des légumes dans son potager, mais il lui manque un certain outil de jardinage. Relie les nombres pairs dans l'ordre croissant afin de découvrir l'outil de jardinage en question.**

• 3^4	• 390	• 8^3	• 672	• 900	• 5^2
• 138	• 4^4	• 79	• 7^2	• 10^3	• 3^2
• 9^1	• 146	• 3^3	• 127	• 4^5	• 841
• 885	• 29	• 2^7	• 6^4	• 5^3	• 7^4
• 3^6	• 123	• 10^2	• 6^1	• 9^2	• 255
• 459	• 65	• 8^2	• 2^3	• 573	• 703
• 9^3	• 7^3	• 58	• 4^2	• 3^4	• 609
• 5^4	• 327	• 6^2	• 24	• 343	• 7^5
• 711	• 3^5	• 951	• 9^4	• 527	• 5^5

L'outil de jardinage qui manque à Edgar est un(e) _____ .

Exercices

5. Sur son terrain, bien avant que Pierre-Luc ne vienne au monde, son oncle Raymond avait planté au fond de la cour un bouleau, un érable, un pin, un chêne et un peuplier. La semaine dernière, Pierre-Luc a rendu visite à son oncle, et il s'est rendu compte que les arbres avaient bien profité : la circonférence du bouleau est maintenant de 7^2 cm, celle du pin est de 5^3 cm, celle du chêne est de 2^7 cm, celle du peuplier est de 4^3 cm, et celle de l'érable est de 3^4 cm. Pierre-Luc s'est aussi rendu compte que les arbres étaient plantés selon leur circonférence dans l'ordre décroissant. Illustre l'alignement des arbres en identifiant chacun d'eux.

Démarche :

Illustration :

6. Lors d'un séjour dans les Caraïbes, Judith et Daniel en ont profité pour faire l'expérience de la plongée sous-marine. Parmi les coraux et les algues, ils ont aperçu un calmar géant pesant environ 6^3 kg, un requin-tigre pesant autour de 3^6 kg, un rorqual à bosse pesant approximativement 8^5 kg, un dauphin clymène pesant un peu moins de 4^3 kg, ainsi qu'un requin blanc pesant plus ou moins 7^4 kg. Place ces animaux marins dans l'ordre croissant selon leur poids respectif.

Démarche :

Réponse : _____

7. Cinq amis se disputent à savoir lequel d'entre eux possède le plus de timbres-poste dans sa collection. Marc en possède 4^4, Josée en possède 3^5, Édith en possède 6^3, Geneviève en possède 2^8, et Jonathan en possède 5^4. Quels amis possèdent le même nombre de timbres dans leur collection ?

Démarche :

Réponse : _____ et _____ possèdent le même nombre de timbres-poste dans leur collection.

Exercices

1. Encercle le nombre de fourmis qui équivaut à la fraction.

a) $\dfrac{3}{7}$

b) $\dfrac{4}{9}$

c) $\dfrac{1}{4}$

d) $\dfrac{5}{6}$

e) $\dfrac{4}{5}$

f) $\dfrac{5}{8}$

2. Colorie les parties manquantes afin d'obtenir les fractions indiquées.

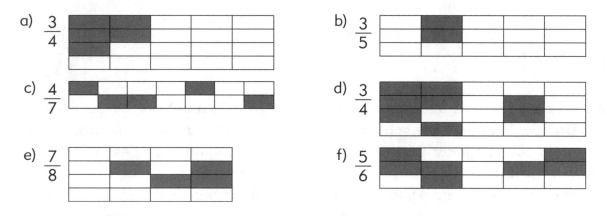

a) $\dfrac{3}{4}$

b) $\dfrac{3}{5}$

c) $\dfrac{4}{7}$

d) $\dfrac{3}{4}$

e) $\dfrac{7}{8}$

f) $\dfrac{5}{6}$

3. Compare les fractions en utilisant les symboles <, > ou =.

a) $\dfrac{2}{3}$ _____ $\dfrac{3}{7}$

b) $\dfrac{5}{6}$ _____ $\dfrac{9}{10}$

c) $\dfrac{1}{4}$ _____ $\dfrac{2}{5}$

d) $\dfrac{5}{8}$ _____ $\dfrac{4}{9}$

e) $\dfrac{6}{9}$ _____ $\dfrac{2}{3}$

f) $\dfrac{3}{4}$ _____ $\dfrac{6}{8}$

g) $\dfrac{4}{7}$ _____ $\dfrac{1}{3}$

h) $\dfrac{5}{6}$ _____ $\dfrac{3}{4}$

i) $\dfrac{2}{9}$ _____ $\dfrac{4}{7}$

4. Place les fractions dans l'ordre décroissant.

$\dfrac{5}{6}$ $\dfrac{2}{9}$ $\dfrac{3}{5}$ $\dfrac{3}{8}$ $\dfrac{1}{2}$ $\dfrac{7}{8}$ $\dfrac{3}{4}$ $\dfrac{2}{3}$ $\dfrac{4}{7}$ $\dfrac{5}{9}$ $\dfrac{2}{7}$ $\dfrac{1}{5}$

_____

_____

Test

5. Réduis chaque fraction à sa plus simple expression.

a) $\dfrac{10}{14} =$ _____   b) $\dfrac{3}{9} =$ _____   c) $\dfrac{8}{10} =$ _____   d) $\dfrac{6}{16} =$ _____

e) $\dfrac{15}{25} =$ _____   f) $\dfrac{12}{20} =$ _____   g) $\dfrac{16}{24} =$ _____   h) $\dfrac{20}{36} =$ _____

i) $\dfrac{45}{50} =$ _____   j) $\dfrac{12}{60} =$ _____   k) $\dfrac{15}{60} =$ _____   l) $\dfrac{18}{27} =$ _____

6. Encercle les fractions irréductibles.

$\dfrac{27}{40}$ $\dfrac{19}{38}$ $\dfrac{30}{81}$ $\dfrac{23}{50}$ $\dfrac{28}{70}$ $\dfrac{9}{13}$ $\dfrac{41}{60}$ $\dfrac{22}{55}$ $\dfrac{40}{63}$

$\dfrac{39}{91}$ $\dfrac{12}{37}$ $\dfrac{6}{77}$ $\dfrac{18}{80}$ $\dfrac{34}{85}$ $\dfrac{15}{28}$ $\dfrac{10}{42}$ $\dfrac{30}{75}$ $\dfrac{21}{46}$

7. Transforme les fractions en nombres fractionnaires.

a) $\dfrac{7}{5} =$ _____   b) $\dfrac{9}{4} =$ _____   c) $\dfrac{5}{2} =$ _____   d) $\dfrac{13}{6} =$ _____

e) $\dfrac{8}{3} =$ _____   f) $\dfrac{11}{8} =$ _____   g) $\dfrac{6}{4} =$ _____   h) $\dfrac{4}{3} =$ _____

i) $\dfrac{10}{7} =$ _____   j) $\dfrac{22}{5} =$ _____   k) $\dfrac{24}{7} =$ _____   l) $\dfrac{33}{4} =$ _____

8. Transforme les pourcentages en fractions irréductibles.

a) 25 % = _____   b) 10 % = _____   c) 45 % = _____   d) 60 % = _____

e) 12 % = _____   f) 36 % = _____   g) 55 % = _____   h) 72 % = _____

i) 24 % = _____   j) 80 % = _____   k) 64 % = _____   l) 50 % = _____

9. Encercle la fraction équivalente à la première.

a) $\dfrac{\mathbf{3}}{\mathbf{8}}$ $\dfrac{7}{24}$ $\dfrac{14}{32}$ $\dfrac{20}{48}$ $\dfrac{21}{56}$ b) $\dfrac{\mathbf{5}}{\mathbf{7}}$ $\dfrac{9}{14}$ $\dfrac{15}{21}$ $\dfrac{30}{35}$ $\dfrac{32}{42}$

c) $\dfrac{\mathbf{4}}{\mathbf{9}}$ $\dfrac{9}{18}$ $\dfrac{18}{36}$ $\dfrac{20}{45}$ $\dfrac{35}{54}$ d) $\dfrac{\mathbf{2}}{\mathbf{5}}$ $\dfrac{6}{15}$ $\dfrac{7}{20}$ $\dfrac{15}{40}$ $\dfrac{22}{50}$

e) $\dfrac{\mathbf{1}}{\mathbf{3}}$ $\dfrac{5}{12}$ $\dfrac{8}{18}$ $\dfrac{10}{24}$ $\dfrac{9}{27}$

Test

1. Relie les fractions dans l'ordre croissant à partir de l'astérisque, et ce, afin de découvrir ce que les Français ont offert aux Américains à l'occasion du 100ᵉ anniversaire de leur indépendance en tant que nation.

Réponse : Les Français ont offert la _____ aux Américains à l'occasion du 100ᵉ anniversaire de leur indépendance en tant que nation.

18

2. Représente chacune des fractions en encerclant le nombre d'éléments approprié.

a) $\frac{6}{7}$

b) $\frac{1}{6}$

c) $\frac{4}{5}$

d) $\frac{5}{8}$

e) $\frac{2}{3}$

f) $\frac{2}{5}$

3. Forme des couples en reliant par un trait les pourcentages aux fractions équivalentes.

a)   28 % •

b)   55 % •

c)   275 % •

d)   32 % •

e)   370 % •

f)   14 % •

g)   60 % •

h)   72 % •

i)   150 % •

j)   40 % •

k)   45 % •

l)   35 % •

• $\frac{8}{25}$

• $\frac{18}{25}$

• $1\frac{1}{2}$

• $\frac{7}{50}$

• $\frac{9}{20}$

• $\frac{11}{20}$

• $3\frac{7}{10}$

• $\frac{7}{25}$

• $\frac{7}{20}$

• $2\frac{3}{4}$

• $\frac{2}{5}$

• $\frac{3}{5}$

Exercices

1. **Compare les fractions et les pourcentages en utilisant les symboles <, > ou =.**

   a) 78% _____ $\dfrac{3}{4}$ b) $\dfrac{1}{6}$ _____ 18% c) $\dfrac{5}{8}$ _____ 65%

   d) 60% _____ $\dfrac{7}{12}$ e) $\dfrac{6}{15}$ _____ 40% f) $\dfrac{9}{16}$ _____ 52%

   g) $\dfrac{13}{20}$ _____ 65% h) $\dfrac{5}{18}$ _____ 28% i) 12% _____ $\dfrac{3}{25}$

2. **Réduis chaque fraction à sa plus simple expression.**

   a) $\dfrac{13}{39} =$ _____   b) $\dfrac{10}{45} =$ _____   c) $\dfrac{18}{60} =$ _____

   d) $\dfrac{27}{66} =$ _____   e) $\dfrac{25}{85} =$ _____   f) $\dfrac{4}{72} =$ _____

3. **Dans une oasis située au cœur du Sahara, on compte 60 arbres et arbustes, dont 6 grenadiers, 10 vignes grimpantes, 15 palmiers dattiers, 8 figuiers, 9 oliviers et 12 amandiers. Quelle fraction irréductible est représentée par chaque arbre et chaque arbuste par rapport à l'ensemble de l'oasis?**

   Démarche :

   Réponse : Les grenadiers représentent _____ des arbres et arbustes de l'oasis;

   les vignes grimpantes, _____ ; les palmiers dattiers, _____ ; les figuiers, _____ ;

   les oliviers, _____ et les amandiers, _____ .

4. **Les grandes villes cosmopolites accueillent des immigrants venant de partout à travers le monde. Aussi, dans une école primaire à laquelle sont inscrits 252 élèves, on compte 27 élèves d'origine canadienne, 30 d'origine vietnamienne, 36 d'origine libanaise, 48 d'origine polonaise, 54 d'origine marocaine, 18 d'origine italienne, 15 d'origine colombienne et 24 d'origine sud-africaine. Quelle fraction irréductible est représentée par chaque groupe par rapport à l'ensemble de la population de l'école?**

   Démarche :

   Réponse : Les élèves d'origine canadienne représentent _____ de l'ensemble de la

   population de l'école; ceux d'origine vietnamienne, _____ ; ceux d'origine libanaise,

   _____ ; ceux d'origine polonaise, _____ ; ceux d'origine marocaine, _____ ;

   ceux d'origine italienne, _____ ; ceux d'origine colombienne, _____ et ceux

   d'origine sud-africaine, _____ .

Test

1. Place approximativement les fractions sur les droites numériques.

Exemple : $\frac{1}{2}$

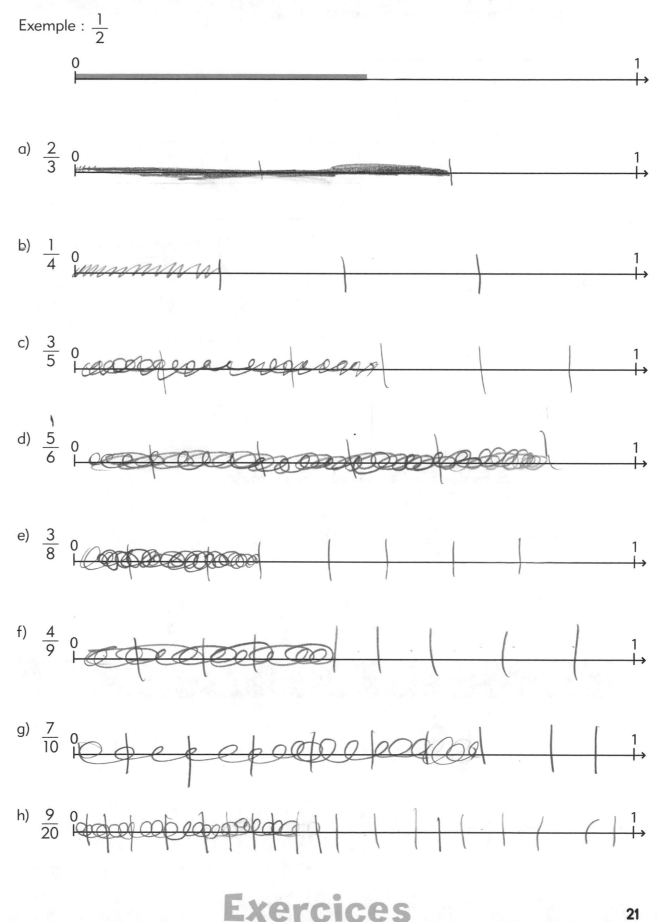

a) $\frac{2}{3}$

b) $\frac{1}{4}$

c) $\frac{3}{5}$

d) $\frac{5}{6}$

e) $\frac{3}{8}$

f) $\frac{4}{9}$

g) $\frac{7}{10}$

h) $\frac{9}{20}$

Exercices

2. Trouve toutes les fractions équivalentes pour chaque fraction en tenant compte que le dénominateur ne doit pas dépasser 50.

a) $\dfrac{4}{9}$ _____, _____, _____, _____

b) $\dfrac{3}{8}$ _____, _____, _____, _____, _____

c) $\dfrac{4}{5}$ _____, _____, _____, _____, _____, _____, _____, _____

d) $\dfrac{2}{3}$ _____, _____, _____, _____, _____, _____, _____, _____,

_____, _____, _____, _____, _____

e) $\dfrac{1}{6}$ _____, _____, _____, _____, _____, _____

f) $\dfrac{3}{10}$ _____, _____, _____

g) $\dfrac{3}{4}$ _____, _____, _____, _____, _____, _____, _____,

_____, _____

h) $\dfrac{6}{7}$ _____, _____, _____, _____, _____, _____

3. Place les fractions dans la bonne colonne du tableau.

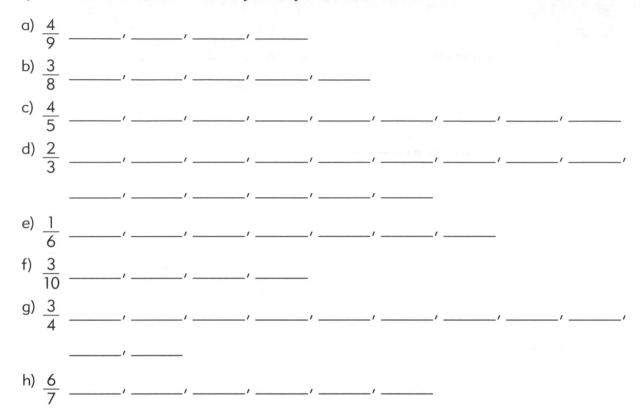

$$\frac{2}{9} \quad \frac{5}{8} \quad \frac{1}{7} \quad \frac{1}{2} \quad \frac{4}{5} \quad \frac{1}{5} \quad \frac{2}{5} \quad \frac{7}{2} \quad \frac{5}{7} \quad \frac{3}{10} \quad \frac{6}{7} \quad \frac{1}{4}$$

$$\frac{3}{8} \quad \frac{5}{9} \quad \frac{3}{4} \quad \frac{7}{9} \quad \frac{7}{6} \quad 2\frac{2}{5} \quad \frac{1}{10} \quad \frac{2}{7} \quad \frac{9}{10} \quad \frac{1}{8} \quad \frac{5}{6} \quad \frac{4}{9}$$

$$\frac{3}{5} \quad \frac{7}{10} \quad \frac{8}{9} \quad 1\frac{1}{3} \quad \frac{7}{8} \quad \frac{3}{3} \quad \frac{3}{7} \quad \frac{1}{9} \quad \frac{6}{6} \quad \frac{4}{7} \quad \frac{9}{4} \quad \frac{1}{6}$$

Entre 0 % et 25 %	Entre 26 % et 50 %	Entre 51 % et 75 %	Entre 76 % et 100 %	Plus de 100 %

Exercices

1. Place les nombres décimaux dans l'ordre décroissant.

237,58	378,25	87,523	527,38	73,582	238,57
87,235	7385,2	72,853	375,82	235,78	3852,7
78,523	527,83	32,587	325,78	2587,3	328,75

_____

_____

2. Décompose les nombres décimaux.

Exemple : $4568,352 = 4000 + 500 + 60 + 8 + \dfrac{3}{10} + \dfrac{5}{100} + \dfrac{2}{1000}$

a) $28\ 529,76 =$ _____

b) $7584,653 =$ _____

c) $483\ 951,8 =$ _____

d) $692,296 =$ _____

e) $5038,47 =$ _____

3. Place les chiffres qui composent chaque nombre décimal au bon endroit dans le tableau :
34,57 – 251,3 – 19 847,64 – 7583,802 – 877,29 – 95,658 – 6420,87 – 55 423,4.

Dizaines de mille	Unités de mille	Centaines	Dizaines	Unités	Dixièmes	Centièmes	Millièmes
			3	4	5	7	

4. Compare les nombres naturels, les fractions, les pourcentages et les nombres décimaux en utilisant les symboles <, > ou =.

a) $75\ \%$ ____ $0,75$ b) $0,6$ ____ $\dfrac{4}{5}$ c) $3\dfrac{3}{7}$ ____ $3,45$ d) $30\ \%$ ____ $0,24$

e) $\dfrac{8}{25}$ ____ $0,36$ f) $0,55$ ____ $\dfrac{11}{20}$ g) $68\ \%$ ____ $\dfrac{7}{12}$ h) $5,7$ ____ $5\dfrac{5}{8}$

Test

5. Transforme les nombres fractionnaires en nombres décimaux.

a) $78\frac{4}{5} =$ _____

b) $439\frac{3}{10} =$ _____

c) $8\frac{1}{4} =$ _____

d) $26\frac{5}{8} =$ _____

e) $5\frac{83}{250} =$ _____

f) $35\frac{9}{20} =$ _____

g) $91\frac{6}{125} =$ _____

h) $627\frac{39}{50} =$ _____

i) $74\frac{24}{25} =$ _____

6. Arrondis les nombres décimaux...

		À l'unité de mille près	À la centaine près	Au dixième près	Au centième près
a)	8876,542				
b)	5429,488				
c)	3570,067				
d)	2468,363				
e)	7532,836				

7. Complète les suites de nombres décimaux en respectant la règle.

a) Règle : + 0,7

84,53; 85,23; 85,93; 86,63; _____; _____; _____; _____

b) Règle : − 0,09

276,8; 276,71; 276,62; 276,53; _____; _____; _____; _____

c) Règle : + 0,35

37,942; 38,292; 38,642; 38,992; _____; _____; _____; _____

d) Règle : − 2,6

459,73; 457,13; 454,53; 451,93; _____; _____; _____; _____

e) Règle : + 8 ; − 0,5

177,6; 185,6; 185,1; 193,1; _____; _____; _____; _____

8. Trouve la valeur de position du ou des chiffres soulignés.

Exemple : 56,3<u>2</u>5 :   0,32

a) 6<u>4</u>3,97 : _____

b) 9218,6<u>8</u>7 : _____

c) 275,<u>4</u>46 : _____

d) <u>5</u>84,531 : _____

e) 33,7<u>2</u>9 : _____

f) <u>8</u>16,753 : _____

g) <u>1</u>47,275 : _____

h) 4691,<u>8</u>34 : _____

i) 60<u>0</u>2,376 : _____

Test

1. Recompose les nombres décimaux.

a) $500 + \dfrac{6}{100} + 40 + \dfrac{8}{10} + 3$ = _____

b) $\dfrac{9}{1000} + 2000 + 7 + \dfrac{5}{100} + 700$ = _____

c) $40\,000 + \dfrac{39}{100} + \dfrac{6}{1000} + 8000 + 10$ = _____

d) $600 + 80 + \dfrac{3}{1000} + \dfrac{2}{10} + 5000 + 9 + \dfrac{4}{100}$ = _____

e) $\dfrac{740}{1000} + 65\,000 + 810 + 6$ = _____

f) $3000 + 100 + \dfrac{4}{100} + 70\,000 + 80 + \dfrac{3}{10} + 5 + \dfrac{6}{1000}$ = _____

g) $4 + 50 + 800 + \dfrac{2}{10} + \dfrac{9}{1000} + 5000 + \dfrac{1}{100}$ = _____

h) $\dfrac{38}{10} + 7200 + \dfrac{64}{1000}$ = _____

2. Place les nombres décimaux dans la bonne colonne du tableau.

47,333	43,8	46,2	23,34	26,72	41,26
28,5	33,93	17,83	49,077	41,9	30,09
18,75	35,418	20,17	42,001	44,531	29,784
13,08	30,006	48,37	50,06	26,999	25,6

Plus petit que 27	Entre 27 et 42	Plus grand que 42

3. Encercle le nombre duquel chaque nombre décimal s'approche le plus.

a) **79,384**   79,3 ou 79,4

b) **4,096**   4,01 ou 4,1

c) **534,439**   534 ou 534,4

d) **65,378**   65 ou 65,5

e) **8,706**   8,5 ou 9

f) **934,2**   930 ou 940

g) **10,151**   10,1 ou 10,2

h) **36,75**   36,7 ou 36,8

Exercices

4. Place approximativement les nombres décimaux sur les droites numériques.

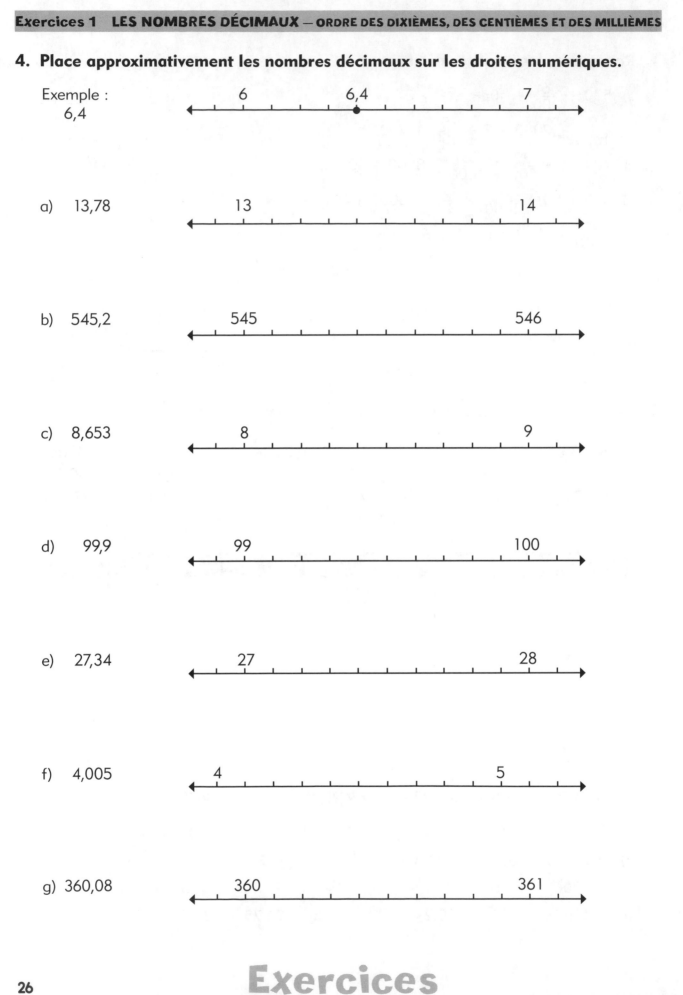

Exemple :
6,4

a)   13,78

b)   545,2

c)   8,653

d)   99,9

e)   27,34

f)   4,005

g) 360,08

Exercices

5. Pour chaque nombre décimal, s'il y a lieu, encercle le chiffre à la position des centaines, souligne le chiffre à la position des dixièmes et encadre le chiffre à la position des millièmes.

a) 89,624   b) 738,55   c) 42,136

d) 105,23   e) 99,999   f) 357,3

g) 56,81   h) 834,67   i) 0,058

6. Calcule mentalement ce qui manque à chaque nombre décimal pour arriver au nombre entier qui vient immédiatement après.

a)   23,7 + _____ = 24   b)   49,36 + _____ = 50

c)   683,21 + _____ = 684   d)   7,777 + _____ = 8

e)   51,483 + _____ = 52   f)   829,67 + _____ = 830

g)   3,2 + _____ = 4   h)   10,545 + _____ = 11

7. Écris tous les nombres décimaux compris entre 78,11 et 78,42, mais seulement jusqu'à l'ordre des centièmes.

_____

_____

8. Transforme les pourcentages et les fractions en nombres décimaux.

a)   43 % = _____   b) $\frac{50}{100}$ = _____   c) 76,4 % = _____

d) $\frac{62}{100}$ = _____   e)   9 % = _____   f) $\frac{377}{100}$ = _____

g)   8,7 % = _____   h) $\frac{280}{100}$ = _____   i)   40 % = _____

9. Écris tous les nombres décimaux compris entre 5,47 et 5,51, mais seulement jusqu'à l'ordre des millièmes.

_____

_____

Exercices

1. Décompose les nombres décimaux.

Exemple :   57,894 = 50 + 7 + 0,8 + 0,09 + 0,004

a)   38,56 = _____

b)   592,07 = _____

c)   4,931 = _____

d)   8329,4 = _____

e) 725,363 = _____

f)   6,72 = _____

2. Place les nombres décimaux dans l'ordre croissant.

34,891	139,84	843,91	13,849	9413,8	384,91
439,81	14,893	143,89	9184,3	31,894	13,498
8914,3	918,43	384,19	139,48	34,189	8149,3
813,49	439,18	143,98	31,498	981,34	14,389

_____

_____

3. Transforme les nombres décimaux en nombres fractionnaires irréductibles.

a)   5,45 = _____   b)   23,6 = _____   c) 9,875 = _____

d) 84,08 = _____   e) 370,5 = _____   f)   71,15 = _____

g) 42,25 = _____   h)   6,04 = _____   i) 875,3 = _____

4. Arrondis les nombres décimaux...

		À la dizaine près	À l'unité près	Au dixième près	Au centième près
a)	4645,728				
b)	2906,453				
c)	7244,551				
d)	6592,877				
e)	3718,236				

Test

1. **Relie les nombres dans l'ordre croissant en commençant par l'étoile, et ce, afin de découvrir l'édification aperçue par Mélissa lors de son voyage aux Pays-Bas.**

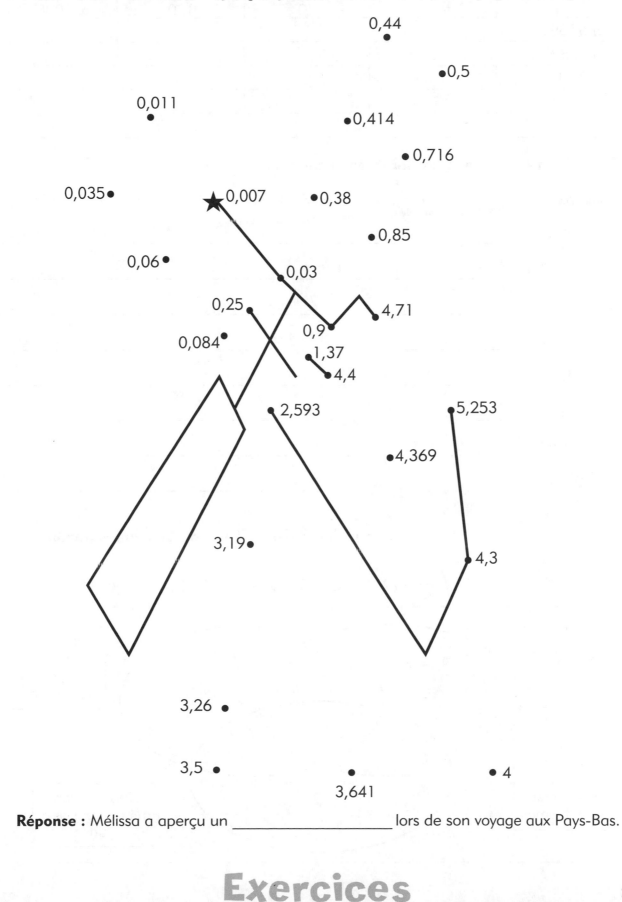

Réponse : Mélissa a aperçu un _____ lors de son voyage aux Pays-Bas.

Exercices

2. Ajoute à chaque nombre ce qui est demandé.

	5	$\frac{4}{10}$	$\frac{8}{100}$	$\frac{7}{1000}$
a) 67,39				
b) 238,645				
c) 94,423				
d) 3875,2				
e) 71,77				

3. Transforme les heures en nombres décimaux.

Exemple : 9 h 33 = $9 + \frac{33}{60} =$ 9 + (33 ÷ 60) =   9 + 0,55 =   9,55

a) 15 h 03 = _____

b)   7 h 15 = _____

c) 21 h 48 = _____

d)   8 h 27 = _____

e)   6 h 39 = _____

f) 13 h 21 = _____

g) 11 h 57 = _____

h) 12 h 12 = _____

4. Place les nombres dans le bon ensemble. Transforme au besoin les nombres sous forme décimale.

34,85 $\frac{3}{8}$ 24 %   29,6 $\frac{3}{4}$ 724   3,634 9^3 57 %   4,67   11,4   69 %   2,13   4,53 4^4

Exercices

5. Complète les affirmations à partir du nombre 753 648.

a) Le 3 est à la position des _____ et sa valeur est _____ .

b) Le 8 est à la position des _____ et sa valeur est _____ .

c) Le 5 est à la position des _____ et sa valeur est _____ .

d) Le 6 est à la position des _____ et sa valeur est _____ .

e) Le 7 est à la position des _____ et sa valeur est _____ .

f) Le 4 est à la position des _____ et sa valeur est _____ .

6. Écris chaque expression sous forme de nombres décimaux.

a) trois cent quatre-vingt-treize et soixante-seize millièmes : _____

b) six cent quarante-quatre et dix-huit centièmes : _____

c) neuf mille deux cent cinquante et un et quatre dixièmes : _____

d) trente-sept mille vingt-deux et neuf cent sept millièmes : _____

e) huit cent trois mille six cent cinquante et cinq centièmes : _____

f) cent cinquante-deux mille dix-sept et deux millièmes : _____

7. Écris chaque nombre décimal en lettres.

a)   472,06 : _____

b)   84,391 : _____

c)   6367,8 : _____

d)   905,064 : _____

e) 26 451,17 : _____

f) 45 008,2 : _____

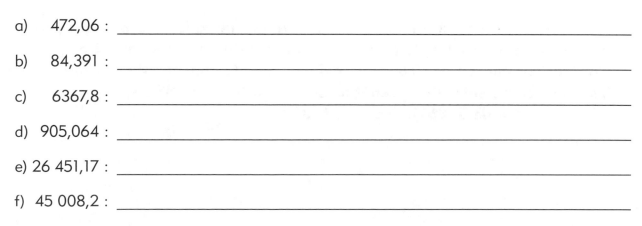

Exercices

1. La température à la surface des planètes du système solaire dépend surtout de la distance qui les sépare du Soleil. Ainsi, la température moyenne sur Vénus est d'environ 460 °C et celle sur Jupiter tourne autour de − 206 °C. Quelles sont les températures moyennes sur les planètes Neptune et Mars si sur la première, la température est 700 °C plus froide que sur Vénus, et que sur la seconde, la température est 143 °C plus chaude que sur Jupiter ?

Démarche :

Réponse : La température moyenne sur Neptune est de _____ °C, et celle sur Mars est de _____ °C.

2. Les mines de charbon sont composées d'installations souterraines qui peuvent descendre à plusieurs mètres (et parfois quelques kilomètres !) sous le sol. Si les mineurs travaillent à − 279 m dans le sol et qu'ils doivent monter le minerai au sommet d'un convoyeur situé 347 m plus haut, à quelle distance du sol se retrouve le sommet du convoyeur ?

Démarche :

Réponse : Le sommet du convoyeur est situé à _____ m du sol.

3. Une entreprise spécialisée dans l'importation de matériel informatique procède fréquemment à des dépôts et à des retraits dans un compte bancaire d'opérations courantes. Trouve le solde du compte bancaire de l'entreprise après les transactions suivantes : dépôt de 3654 $, retrait de 6832 $, dépôt de 4897 $, retrait de 5086 $, dépôt de 1203 $.

Démarche :

Réponse : Le solde du compte bancaire de l'entreprise est de _____ $.

1. Place les nombres entiers dans l'ordre croissant.

29	–18	7	–5	–34	45	33	–26	14	10	–9
0	11	–10	8	–41	–2	25	–13	–7	34	–22

_____

_____

2. Complète les suites de nombres entiers.

a) 25, 18, 11, 4, –3, _____, _____, _____, _____, _____

b) –44, –41, –38, –35, –32, _____, _____, _____, _____, _____

c) –7, –2, –6, –1, –5, _____, _____, _____, _____, _____

d) 56, 50, 42, 36, 28, _____, _____, _____, _____, _____

e) –35, –29, –31, –25, –27 _____, _____, _____, _____, _____

f) 3, –7, –2, –12, –7, _____, _____, _____, _____, _____

**3. Résous les équations, puis compare les réponses en utilisant les symboles
   <, > ou =.**

a)   43 – 59 = _____   ◯   52 – 64 = _____

b)   –25 + 18 = _____   ◯   7 – 14 = _____

c)   33 – 16 = _____   ◯   3 – 18 = _____

d)   24 – 55 = _____   ◯   47 – 78 = _____

e)   76 – 80 = _____   ◯   –26 + 30 = _____

f)   7 + 9 – 28 = _____   ◯   5 – 1 – 19 = _____

g)   0 – 43 + 15 = _____   ◯   7 – 62 + 13 = _____

h) 10 – 100 + 84 = _____   ◯   6 – 29 + 17 = _____

Exercices

4. Illustre chaque équation sur la droite numérique afin de trouver la réponse.

Exemple : $7 - 12 + 3 = -2$

a) $10 - 16 + 7 =$ _____

b) $3 - 11 + 6 =$ _____

c) $-13 + 9 - 5 =$ _____

d) $-4 + 16 - 2 =$ _____

e) $0 - 12 + 7 =$ _____

f) $2 + 6 - 15 =$ _____

g) $-6 + 14 - 8 =$ _____

h) $1 + 8 - 20 =$ _____

Exercices

1. Un plongeur en apnée a gradué une corde qui part d'un tremplin et qui descend jusqu'au fond d'un lac. Les nombres positifs marquent la partie de la corde qui émerge de l'eau, le zéro marque la surface du lac et les nombres négatifs marquent la partie de la corde qui est immergée. Si le tremplin mesure 155 dm et que le plongeur a effectué un plongeon de 634 dm, à quelle position sur la corde s'est-il rendu ?

Démarche :

Réponse : Le plongeur s'est rendu à la position _____ dm sur la corde.

2. Pour dater les événements qui se sont produits avant notre ère, les historiens utilisent des nombres négatifs ou des nombres accompagnés de l'abréviation *av. J.-C.* (« Avant Jésus-Christ »). Quant à ceux qui se sont produits pendant notre ère, ils utilisent des nombres positifs ou des nombres accompagnés de l'abréviation *apr. J.-C.* (« Après Jésus-Christ »). L'année zéro correspond à l'année supposée de la naissance de Jésus. Si Christophe Colomb a découvert l'Amérique en 1492 et que le pharaon égyptien est mort en −1213, combien d'années séparent ces deux événements ?

Démarche :

Réponse : _____ années séparent ces deux événements.

3. H. G. Wells est un écrivain britannique célèbre pour ses œuvres de science-fiction comme *La Guerre des mondes* et *L'Homme invisible*. Dans son roman intitulé *La Machine à explorer le temps*, écrit en 1895, le personnage principal invente une machine qui lui permet de visiter différentes époques. Si comme le personnage tu pouvais voyager 3148 ans en arrière pour être témoin de la construction du monument de Stonehenge en Angleterre, et que ton départ s'effectuait à partir d'un premier périple en 1353, en quelle année parviendrais-tu à destination ?

Démarche :

Réponse : Je parviendrais à destination en l'an _____ .

1. **Observe le jeu de serpents et échelles, puis déplace ton pion à partir de la case –49, et ce, en respectant les consignes et en indiquant chaque fois à quelle case tu es rendu(e).**

41	42	43	44	45	46	47	48	49	50
40	39	38	37	36	35	34	33	32	31
21	22	23	24	25	26	27	28	29	30
20	19	18	17	16	15	14	13	12	11
1	2	3	4	5	6	7	8	9	10
0	–1	–2	–3	–4	–5	–6	–7	–8	–9
–19	–18	–17	–16	–15	–14	–13	–12	–11	–10
–20	–21	–22	–23	–24	–25	–26	–27	–28	–29
–39	–38	–37	–36	–35	–34	–33	–32	–31	–30
–40	–41	–42	–43	–44	–45	–46	–47	–48	–49

a) Tu brasses les 2 dés et tu obtiens 8.   Case : _____

b) Tu brasses les 2 dés et tu obtiens 7.   Case : _____

c) Tu brasses les 2 dés et tu obtiens 10.   Case : _____

d) Tu brasses les 2 dés et tu obtiens 2.   Case : _____

e) Tu brasses les 2 dés et tu obtiens 6.   Case : _____

f) Tu brasses les 2 dés et tu obtiens 4.   Case : _____

g) Tu brasses les 2 dés et tu obtiens 5.   Case : _____

h) Tu brasses les 2 dés et tu obtiens 6.   Case : _____

Exercices

1. **Le Canada est un important producteur de plantes céréalières, dont le blé, l'avoine, le maïs et le seigle. Chaque année, nous exportons 252 000 tonnes de seigle vers le Japon et les États-Unis, 148 500 tonnes sont utilisées pour nourrir les troupeaux de bétail, 49 500 tonnes servent à produire du malt, 25 750 tonnes entrent dans la composition de produits de boulangerie et 24 250 tonnes sont employées comme graines de semailles. Combien de tonnes de seigle le Canada produit-il annuellement ?**

   Démarche :

   Réponse : Le Canada produit _____ tonnes de seigle annuellement.

2. **Le Grand-Duché de Luxembourg est un pays d'Europe de l'Ouest qui compte environ 460 000 habitants. Ce tout petit État s'étend sur 82 km du nord au sud et sur 57 km d'est en ouest. Les langues officielles sont le luxembourgeois (349 600 personnes), le français (18 400 personnes) et l'allemand (13 800 personnes). Combien de personnes ne parlent aucune des langues officielles au Luxembourg ?**

   Démarche :

   Réponse : _____ personnes ne parlent aucune des langues officielles au Luxembourg.

3. **Les colibris, surnommés *oiseaux-mouches* à cause de leur taille minuscule, se nourrissent du nectar d'un millier de fleurs chaque jour. En Amérique du Nord, on retrouve 21 espèces de colibris, dont 4 au Canada. Aussi, le colibri peut battre des ailes 75 fois en une seconde. Combien de battements d'ailes un colibri peut-il effectuer en 5 minutes ?**

   Démarche :

   Réponse : Le colibri peut faire _____ battements d'ailes en 5 minutes.

4. **La vitesse de la lumière est d'environ 300 000 kilomètres par seconde (km/s); celle de la navette spatiale américaine est d'environ 8 km/s. Combien de fois la lumière est-elle plus rapide que la navette spatiale ?**

   Démarche :

   Réponse : La lumière est _____ fois plus rapide que la navette spatiale.

Test

5. **Dans le bassin principal d'une pisciculture, on compte 5^4 truites arc-en-ciel, 7^3 touladis et 3^6 ombles de fontaine. Combien de poissons compte-t-on dans le bassin principal de la pisciculture ?**

Démarche :

Réponse : On compte _____ poissons dans le bassin principal de la pisciculture.

6. **Les ancêtres de Louis sont arrivés en Nouvelle-France vers l'an 1673 pour fonder une famille. En moyenne, une nouvelle génération s'est ajoutée à la descendance de Louis tous les 22 ans. Si Louis est né en 1981, combien de générations se sont succédé depuis l'arrivée de ses ancêtres ?**

Démarche :

Réponse : _____ générations se sont succédé depuis l'arrivée des ancêtres de Louis.

7. **Margaret vient d'acquérir une encyclopédie composée de 26 tomes, soit un tome pour chaque lettre de l'alphabet. Les tomes associés aux voyelles comptent 258 pages et ceux associés aux consonnes comptent chacun 39 pages de plus. Combien de pages compte l'encyclopédie de Margaret en tout ?**

Démarche :

Réponse : L'encyclopédie de Margaret compte _____ pages en tout.

8. **Normalement, même si nous perdons nos cheveux, notre chevelure se renouvelle. Toutefois, Hector vient d'apprendre qu'il est atteint de calvitie, c'est-à-dire que les cheveux qu'il perd ne sont pas renouvelés. La chevelure d'un adulte compte environ 150 000 cheveux, et en moyenne nous perdons 75 cheveux chaque jour. Combien de cheveux garnissent toujours le crâne de Hector 18 semaines après le diagnostic ?**

Démarche :

Réponse : _____ cheveux garnissent toujours le crâne de Hector 18 semaines après le diagnostic.

Test

1. Additionne et soustrais en laissant des traces de tes calculs.

a)   52 357
   + 48 914

b)   70 900
   − 26 639

c)   33 599
   + 35 218

d)   48 064
   − 26 257

e)   385 009
   + 199 578

f)   814 237
   − 427 663

g)   556 725
   + 98 339

h)   749 100
   − 83 634

i)   268 316
   + 679 735

j)   600 000
   − 542 784

k)   445 566
   + 388 277

l)   811 973
   − 355 188

2. Multiplie et divise en laissant des traces de tes calculs.

a)   8948 ⌊4

b)   2639
   x   8

c)   6705 ⌊9

d)   5754
   x   7

e)   6164 ⌊23

f)   387
   x 25

g)   4712 ⌊38

h)   609
   x 84

i)   7524 ⌊57

j)   837
   x 47

k)   7296 ⌊16

l)   555
   x 33

Exercices

3. Résous les équations en respectant les parenthèses.

Exemple : $(64 + 38) \div (48 \div 8) =$ $102 \div 6 =$ 17

a) $(94 - 57) \times (45 \div 5)$ = _____

b) $(8 \times 4) + (5 \times 6)$ = _____

c) $(447 \div 3) - (385 \div 7)$ = _____

d) $(184 + 599) \div (9 \times 3)$ = _____

e) $(423 \div 9) + (12 \times 6) - 38$ = _____

4. Résous les équations en tenant compte de la priorité des opérations.

Exemple : $7 + 8 \times 5 - 9 =$ $7 + (8 \times 5) - 9 =$ $7 + 40 - 9 =$ 38

a) $72 \div 3 - 4 \times 5$ = _____

b) $37 + 56 \div 7 - 6$ = _____

c) $25 \times 9 \div 3 + 4 \times 7 - 8$ = _____

d) $39 + 49 \div 7 + 7 \times 4$ = _____

e) $112 - 76 + 13 - 6 \times 6$ = _____

5. Résous les équations en appliquant la distributivité.

Exemple : $5 \times (4 + 7) =$ $(5 \times 4) + (5 \times 7) =$ $20 + 35 =$ 55

a) $6 \times (9 - 4)$ = _____

b) $9 \times (3 + 8)$ = _____

c) $8 \times (34 - 19)$ = _____

d) $3 \times (44 + 37)$ = _____

e) $5 \times (8 + 5 - 3)$ = _____

Exercices

6. Décompose les nombres en arbres de facteurs, puis donne ta réponse sous forme exponentielle.

a)

Réponse : _____

b)

Réponse : _____

c)

Réponse : _____

d)

Réponse : _____

e)

Réponse : _____

f)

Réponse : _____

g)

Réponse : _____

h)

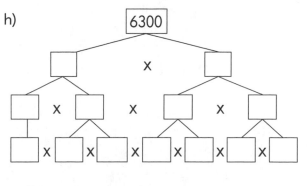

Réponse : _____

Exercices

7. Résous chaque équation en laissant des traces de tes calculs.

a) $7^3 + 5^4 =$

b) $6^4 - 3^5 =$

c) $13 \times 9^2 \times 2^4 =$

d) $2^8 \div 4^2 =$

e) $10^2 + 6^3 - 3^4 =$

f) $2^4 \times (5^3 + 7^2) =$

g) $(4^4 \times 6^2) - (3^3 \times 15^1) =$

h) $(8^2 + 4^3) \div 2^5 =$

i) $(3^2 \times 2^4 \times 7^2) + (6^1 \times 5^2 \times 3^4) =$

j) $24^3 \div 2^8 \times 5^4 =$

k) $(32^2 \div 4^3) \times (10^3 - 9^3) =$

l) $5^3 \times (8^2 - 3^3) =$

Exercices

1. **Chaque jour à la gare, 1675 voyageurs montent à bord des 25 wagons du train de banlieue. Combien de passagers chaque wagon du train de banlieue peut-il accueillir ?**

   Démarche :

   Réponse : Chaque wagon du train de banlieue peut accueillir _____ passagers.

2. **Chez un concessionnaire de voitures neuves, le prix de vente d'une fourgonnette à sièges rabattables s'élève à 49 600 $. Chez le concessionnaire de voitures d'occasion, le même véhicule fabriqué l'année précédente et affichant 25 000 km au compteur coûte 7446 $ de moins. Quel est le prix de la fourgonnette d'occasion ?**

   Démarche :

   Réponse : Le prix de la fourgonnette d'occasion est de _____ $.

3. **La dentition chez l'humain adulte comprend normalement 32 dents, dont 8 incisives, 4 canines et 20 molaires. Chaque mois, le dentiste du quartier reçoit 228 patients. Combien de dents le dentiste doit-il inspecter dans une année ?**

   Démarche :

   Réponse : Le dentiste doit inspecter _____ dents dans une année.

4. **La population de cerfs de Virginie sur l'île d'Anticosti dans le golfe du Saint-Laurent s'élève à environ 164 372 individus. Sur le reste du territoire du Québec, on recense environ 383 534 bêtes. Combien de cervidés compte-t-on à la grandeur de la province ?**

   Démarche :

   Réponse : On compte environ _____ cervidés à la grandeur du Québec.

Test

5. **Chaque semaine, le facteur distribue environ 379 lettres et 45 colis sur son parcours. Combien d'items de courrier le facteur distribue-t-il sur une période de 5 ans ?**

Démarche :

Réponse : Le facteur distribue _____ items de courrier sur une période de 5 ans.

6. **La planète Mercure met 88 jours pour accomplir sa trajectoire autour du Soleil. La planète Neptune prend 684 fois plus de temps pour accomplir la sienne, et on doit y ajouter 33 jours de plus pour arriver au compte final. En combien de temps la planète Neptune accomplit-elle sa trajectoire autour du Soleil ?**

Démarche :

Réponse : La planète Neptune accomplit sa trajectoire autour du Soleil en _____ jours.

7. **Les lièvres d'Amérique se multiplient à un rythme effarant. En effet, la femelle, communément appelée la *hase*, peut donner naissance à 4 levrauts (pour les besoins de la cause, 2 mâles et 2 femelles), et ce, 3 fois par année à intervalles réguliers (mars, juillet et novembre). Dès qu'elle a atteint l'âge de 6 mois, la hase peut s'accoupler, mais seulement au printemps. Si on implante en janvier un couple mature de lièvres d'Amérique dans une zone clôturée et à l'abri des prédateurs, combien de lièvres pourrait-on compter après 2 ans ?**

Démarche :

Réponse : On pourrait compter _____ lièvres après 2 ans.

8. **Les tours jumelles Petronas en Malaisie mesurent chacune 452 mètres et comptent 88 étages. Une passerelle relie les deux tours à 170 mètres du sol. Pour sa part, le mont Fuji-Yama s'élève à plus de 3776 mètres d'altitude. En raboutant les tours Petronas, combien de mètres manquerait-il pour atteindre le sommet du mont Fuji-Yama ?**

Démarche :

Réponse : Il leur maquerait _____ mètres pour atteindre la hauteur du mont Fuji-Yama.

1. Compare les réponses des équations à l'aide des symboles <, > ou =.

a) $6^2 + 3^5$ _____ $5^3 - 7^2$ b) $400 - 3^4$ _____ $300 + 2^5$

c) $8^3 \div 16$ _____ $4^3 \div 2$ d) $5 \times 7 \times 3$ _____ 10^2

e) $27 + 34 + 18$ _____ 9×9 f) $7 \times (8 - 4)$ _____ $336 \div 12$

g) $6400 \div 100$ _____ 7×3^2 h) $62 - 25$ _____ $2^4 + 21$

2. Additionne et soustrais en laissant des traces de tes calculs.

a) $15\ 869 + 24\ 736 + 6588 =$ b) $300\ 000 - 79\ 342 + 3775 =$

c) $48\ 063 + 186\ 679 - 95\ 728 =$ d) $484\ 932 - 36\ 789 - 155\ 033 =$

e) $3364 + 5^4 + 7^3 =$ f) $8^5 - 24\ 978 + 9^3 =$

3. Complète le tableau ci-dessous.

	+ 539	– 485	x 6	X 49	÷ 3
744					
828					
540					
672					
951					

Exercices

4. Multiplie et divise en laissant des traces de tes calculs.

a) $4572 \lfloor 9$

b) $3096 \lfloor 72$

c)   645
        x 68

d) $4760 \lfloor 56$

e)   704
        x 53

f) $53\ 907 \lfloor 3$

g)   980
        x 77

h) $5152 \lfloor 23$

5. Résous chaque équation en la décomposant. Tu peux utiliser l'espace mis à ta disposition pour faire tes calculs.

Exemple : $5^3 - 3^4 =$ $(5 \times 5 \times 5) - (3 \times 3 \times 3) =$ $125 - 27 =$ 98

a) $6^4 \div 3^2 =$ _____

b) $4^5 + 2^6 =$ _____

c) $8^3 \div 2^5 =$ _____

d) $3^5 \times 6^2 =$ _____

e) $10^3 \div 5^2 =$ _____

f) $9^2 \times 4^3 =$ _____

g) $4^4 \div 2^3 =$ _____

h) $3^4 \times 7^2 =$ _____

i) $7^4 - 5^4 =$ _____

Calculs

Exercices

6. **Résous chaque équation le plus rapidement possible, et ce, une colonne à la fois. Demande à un copain ou à un adulte de te chronométrer, et inscris ton temps.**

Colonne 1	Colonne 2	Colonne 3
a) 8 x 100 = _____	a) 63 x 100 = _____	a) 93 x 1000 = _____
b) 34 x 10 = _____	b) 7 x 1000 = _____	b) 34 x 100 = _____
c) 76 x 100 = _____	c) 549 x 10 = _____	c) 29 x 10 = _____
d) 429 x 10 = _____	d) 252 x 1000 = _____	d) 480 x 100 = _____
e) 517 x 100 = _____	e) 70 x 100 = _____	e) 37 x 1000 = _____
f) 6 x 1000 = _____	f) 55 x 1000 = _____	f) 65 x 100 = _____
g) 293 x 10 = _____	g) 300 x 100 = _____	g) 90 x 100 = _____
h) 82 x 10 = _____	h) 460 x 100 = _____	h) 730 x 10 = _____
i) 5100 x 10 = _____	i) 364 x 10 = _____	i) 88 x 100 = _____
j) 785 x 100 = _____	j) 11 x 1000 = _____	j) 3070 x 10 = _____
Temps : _____	Temps : _____	Temps : _____

7. **Résous chaque équation en laissant des traces de tes calculs.**

a) 37 x 8 x 45 = _____   b) 63 540 ÷ 30 ÷ 6 = _____   c) 64 x 39 x 6 = _____

d) 3682 ÷ 7 ÷ 2 = _____   e) 458 x 22 x 9 = _____   f) 5856 ÷ 24 ÷ 4 = _____

Exercices

8. Trouve les termes manquants.

a)
$$
\begin{array}{r}
54\square\ \square28 \\
+\ \ \ 276\ 447 \\
\hline
8\square5\ 775
\end{array}
$$

b)
$$
\begin{array}{r}
806\ 49\square \\
-\ 3\square2\ 178 \\
\hline
414\ \square21
\end{array}
$$

c)
$$
\begin{array}{r}
\square86 \\
\times\ \ \ \ \ 35 \\
\hline
17\ 010
\end{array}
$$

d)
$$
\begin{array}{r}
8892 \\
\div\ \ \ 2\square \\
\hline
342
\end{array}
$$

e)
$$
\begin{array}{r}
924\ 879 \\
+\ 5\square\ 5\square6 \\
\hline
983\ 40\square
\end{array}
$$

f)
$$
\begin{array}{r}
35\square\ 645 \\
-\ 189\ 9\square9 \\
\hline
1\square1\ 646
\end{array}
$$

g)
$$
\begin{array}{r}
7\square3 \\
\times\ \ \ \ \ 76 \\
\hline
60\ 268
\end{array}
$$

h)
$$
\begin{array}{r}
53\square9 \\
\div\ \ \ \ 33 \\
\hline
\square63
\end{array}
$$

i)
$$
\begin{array}{r}
405\ \square7\square \\
+\ \ \square73\ 859 \\
\hline
878\ 9\square9
\end{array}
$$

j)
$$
\begin{array}{r}
748\ \square36 \\
-\ 297\ 54\square \\
\hline
45\square\ 494
\end{array}
$$

k)
$$
\begin{array}{r}
356 \\
\times\ \ \ \ \ 6\square \\
\hline
2\square\ 360
\end{array}
$$

l)
$$
\begin{array}{r}
\square\ \square16 \\
\div\ \ \ \ \ 78 \\
\hline
122
\end{array}
$$

9. Relie par un trait chaque équation à sa réponse.

a)　　　　$\sqrt{64} \times 55$　•　　　　　　　• 48

b)　　　　$9^2 - 28$　•　　　　　　　• 320

c)　　　$336 \div \sqrt{49}$　•　　　　　　　• 195

d)　　　$3^4 + (6 \times 7)$　•　　　　　　　• 440

e)　　　　$\sqrt{25} \times 4^3$　•　　　　　　　• 32

f)　$2500 \div 10^2 + 73$　•　　　　　　　• 123

g)　　$(\sqrt{36} \times 2^4) \div 3^1$　•　　　　　　　• 53

h)　　$\sqrt{100} \div 2 \times 39$　•　　　　　　　• 98

Exercices

1. **Deux copains veulent se rendre de Montréal, au Québec, à Chicago, dans l'Illinois, et ce, à vélo. Si le trajet est de 1364,857 km et qu'ils peuvent parcourir environ 79 km par jour, combien de jours les cyclistes prendront-ils pour parvenir à destination ? Arrondis ta réponse au dixième près.**

   Démarche :

   Réponse : Les cyclistes prendront _____ jours pour parvenir à destination.

2. **Si nous pouvions voyager d'une planète à l'autre, nous remarquerions que notre poids varie en fonction de la gravité. En guise d'exemple, sur la Lune, notre masse est 6 fois moins élevée, et sur Jupiter, elle est environ 2,4 fois plus élevée. Sur Terre, Julien et Laura pèsent respectivement 71,64 kg et 56,3 kg. Quel serait leur poids sur la Lune et sur Jupiter ?**

   Démarche :

   Réponse : Le poids de Julien serait de _____ kg sur la Lune et _____ kg sur Jupiter.

   Le poids de Laura serait de _____ kg sur la Lune et _____ kg sur Jupiter.

3. **La Grande Muraille de Chine consiste en une série de fortifications dont la construction a débuté au 5ᵉ siècle av. J.-C. pour se terminer au 16ᵉ siècle de notre ère. Elle mesure environ 6362,75 km de long. Pour sa part, la Grande Barrière de Corail, un ensemble naturel composé de récifs coralliens, s'étend sur plus de 2936,98 km au large de l'Australie. Combien de kilomètres faudrait-il ajouter à la Grande Barrière de Corail pour qu'elle soit aussi longue que la Grande Muraille de Chine ?**

   Démarche :

   Réponse : Il faudrait ajouter _____ km à la Grande Barrière de Corail.

4. **Jim est un cavalier hors pair et il souhaite participer à des compétitions équestres. Observe les pièces d'équipement ci-dessous, puis réponds aux questions.**

Monture	Selle	Bombe	Jodhpur	Bottes	Mors
6500,00 $	688,79 $	159,95 $	94,38 $	227,44 $	35,77 $

Bridon	Gants	Cravache	Rênes	Étriers
163,26 $	26,88 $	18,69 $	126,99 $	61,55 $

a) Combien en coûtera-t-il à Grégoire pour s'équiper?

Démarche :

Réponse : Il lui en coûtera _____ $ pour s'équiper.

b) Même s'ils sont conçus pour être robustes, les gants de cavalier s'usent rapidement, et Grégoire devra les renouveler au moins 1 fois tous les 3 mois. Combien les gants lui auront-ils coûté après 2 ans?

Démarche :

Réponse : Les gants lui auront coûté _____ $ après 2 ans.

Test

1. Additionne les nombres décimaux.

a)
$$\begin{array}{r} 847,36 \\ + \ 62,55 \\ \hline \end{array}$$

b)
$$\begin{array}{r} 390,48 \\ + \ 72,827 \\ \hline \end{array}$$

c)
$$\begin{array}{r} 25,6 \\ + \ 1534,993 \\ \hline \end{array}$$

d)
$$\begin{array}{r} 479,34 \\ 34,7 \\ + \ 8,056 \\ \hline \end{array}$$

e)
$$\begin{array}{r} 4,573 \\ 66,92 \\ + \ 483,797 \\ \hline \end{array}$$

f)
$$\begin{array}{r} 745,3 \\ + \ 52,81 \\ \hline \end{array}$$

2. Soustrais les nombres décimaux.

a)
$$\begin{array}{r} 3375,201 \\ - \ 219,68 \\ \hline \end{array}$$

b)
$$\begin{array}{r} 706,5 \\ - \ 73,63 \\ \hline \end{array}$$

c)
$$\begin{array}{r} 970,783 \\ - \ 888,26 \\ \hline \end{array}$$

d)
$$\begin{array}{r} 847,45 \\ - \ 23,739 \\ \hline \end{array}$$

e)
$$\begin{array}{r} 598,7 \\ - \ 65,224 \\ \hline \end{array}$$

f)
$$\begin{array}{r} 49,003 \\ - \ 15,1 \\ \hline \end{array}$$

3. Multiplie les nombres décimaux.

a)
$$\begin{array}{r} 73,6 \\ \times \ 5,7 \\ \hline \end{array}$$

b)
$$\begin{array}{r} 6,09 \\ \times \ 3,5 \\ \hline \end{array}$$

c)
$$\begin{array}{r} 10,86 \\ \times \ 9,3 \\ \hline \end{array}$$

d)
$$\begin{array}{r} 46,39 \\ \times \ 8,2 \\ \hline \end{array}$$

e)
$$\begin{array}{r} 205,7 \\ \times \ 7,6 \\ \hline \end{array}$$

f)
$$\begin{array}{r} 536,5 \\ \times \ 7,38 \\ \hline \end{array}$$

4. Divise les nombres décimaux.

a)   158,8 $\lfloor$ 4

b)   584,29 $\lfloor$ 7

c)   217,275 $\lfloor$ 3

d)   2096,004 $\lfloor$ 6

e)   7956,56 $\lfloor$ 8

f)   3053,45 $\lfloor$ 5

Exercices

5. **Résous chaque équation le plus rapidement possible, et ce, une colonne à la fois. Demande à un copain ou à un adulte de te chronométrer, et inscris ton temps.**

Colonne 1	Colonne 2	Colonne 3
a) $78{,}85 \div 10 =$ _____	a) $3{,}643 \times 100 =$ _____	a) $93{,}7 \div 100 =$ _____
b) $246{,}4 \times 100 =$ _____	b) $554{,}7 \div 100 =$ _____	b) $2{,}692 \times 100 =$ _____
c) $83 \div 100 =$ _____	c) $726{,}49 \div 10 =$ _____	c) $68 \div 10 =$ _____
d) $9{,}453 \times 1000 =$ _____	d) $4{,}5 \times 100 =$ _____	d) $87{,}2 \div 100 =$ _____
e) $681{,}4 \div 10 =$ _____	e) $39{,}44 \times 10 =$ _____	e) $645 \div 1000 =$ _____
f) $36{,}729 \times 100 =$ _____	f) $26 \div 1000 =$ _____	f) $3{,}07 \times 100 =$ _____
g) $255 \div 1000 =$ _____	g) $1{,}009 \times 100 =$ _____	g) $75{,}74 \times 1000 =$ _____
h) $43{,}27 \times 10 =$ _____	h) $62{,}04 \div 10 =$ _____	h) $41{,}3 \times 10 =$ _____
i) $59{,}1 \times 1000 =$ _____	i) $0{,}07 \times 1000 =$ _____	i) $328 \div 100 =$ _____
j) $82{,}8 \div 10 =$ _____	j) $485 \div 1000 =$ _____	j) $69{,}37 \div 10 =$ _____
Temps : _____	Temps : _____	Temps : _____

6. **Résous chaque équation en laissant des traces de tes calculs.**

a) $(235{,}69 + 64{,}7) \div 3 =$ _____

b) $5 \times (708{,}25 - 144{,}582) =$ _____

c) $(8 \times 476{,}3) - 691{,}718 =$ _____

d) $(1780{,}73 \div 7) + 299{,}06 =$ _____

Exercices

7. Complète le tableau ci-dessous.

	+ 69,73	− 46,4	x 8	x 3,7	÷ 2
237,9					
504,68					
383					
852,07					
99,4					
100,55					
478,3					
63,29					

À partir des résultats obtenus, dresse la liste des nombres qui ont…

a) un 4 à la position des dixièmes :

_____

b) un 3 à la position des centièmes :

_____

c) un 5 à la position des millièmes :

_____

d) un 8 à la position des unités :

_____

e) un 7 à la position des dizaines :

_____

f) un 2 à la position des centaines :

_____

Exercices

1. **Karine s'est inscrite à la période d'entraînement du club de hockey féminin junior de sa région. Observe les pièces d'équipement ci-dessous, puis réponds aux questions.**

| Bâton | Casque | Épaulettes | Pantalon | Patins |
| 24,47 $ | 68,39 $ | 73,95 $ | 84,69 $ | 137,26 $ |

| Gants | Jambières | Coudes | Sac | Chandail |
| 41,73 $ | 125,99 $ | 30,59 $ | 92,17 $ | 75,77 $ |

a) Combien en coûtera-t-il à Karine pour s'équiper ?

Démarche :

Réponse : Il lui en coûtera _____ $ pour s'équiper.

b) Qu'est-ce qui est le plus dispendieux : 5 chandails ou 13 bâtons de hockey ? Quelle est la différence de prix entre ces deux ensembles d'équipement ?

Démarche :

Réponse : Les _____ sont plus dispendieux que les _____.

La différence de prix entre ces deux ensembles est de _____ $.

Test

2. Au bureau de change, des agents convertissent les devises étrangères en dollars canadiens et vice-versa. Actuellement, un yen japonais (¥) vaut 0,009 $ CAN, un euro (€) vaut
1,43 $ CAN, une livre sterling de Grande-Bretagne (£) vaut 2,11 $ et un baht thaïlandais (฿)
vaut 0,03 $ CAN. À partir de ces informations, convertis les montants des devises étran-
gères en dollars canadiens, et ce, en laissant des traces de tes calculs. Arrondis tes
réponses au centième près.

a) 24 ¥ = _____ $ CAN	b) 57 € = _____ $ CAN
c) 18 £ = _____ $ CAN	d) 35 ฿ = _____ $ CAN
e) 462,5 ¥ = _____ $ CAN	f) 27,3 € = _____ $ CAN
g) 9,7 £ = _____ $ CAN	h) 100,4 ฿ = _____ $ CAN

3. **Le nœud est une unité de mesure servant à mesurer la vitesse des navires et des
avions. Il équivaut à environ 1,852 km/h. Si un voilier se déplace à 32,6 nœuds,
quelle est sa vitesse en km/h ? Arrondis ta réponse au millième près.**

Démarche :

Réponse : Le voilier se déplace à une vitesse de _____ km/h.

Test

1. Additionne et soustrais les nombres décimaux, les fractions et les pourcentages.

a) $\begin{array}{r} 358,9 \\ + \underline{26\ \%} \end{array}$

b) $\begin{array}{r} 76,34 \\ - \underline{8\ \%} \end{array}$

c) $\begin{array}{r} 54,75 \\ \frac{3}{5} \\ - \underline{} \end{array}$

d) $\begin{array}{r} 4,682 \\ \frac{22}{25} \\ + \underline{} \end{array}$

e) $\begin{array}{r} 69,05 \\ \frac{17}{20} \\ - \underline{} \end{array}$

f) $\begin{array}{r} 734,289 \\ + \underline{43\ \%} \end{array}$

g) $\begin{array}{r} 962,77 \\ + \underline{84\ \%} \end{array}$

h) $\begin{array}{r} 10,002 \\ \frac{37}{125} \\ - \underline{} \end{array}$

i) $\begin{array}{r} 237,92 \\ - \underline{3\ \%} \end{array}$

j) $\begin{array}{r} 41,693 \\ \frac{19}{50} \\ + \underline{} \end{array}$

2. Trouve les termes manquants.

a) $\begin{array}{r} 55\square,39 \\ + \underline{64,5\square} \\ 6\square6,97 \end{array}$

b) $\begin{array}{r} 379,526 \\ - \underline{\square6,3\square} \\ 29\square,136 \end{array}$

c) $\begin{array}{r} 8,65 \\ \times \underline{\square} \\ 7\square,85 \end{array}$

d) $\begin{array}{r} 2\square4,54 \\ \div \underline{3} \\ 88,1\square \end{array}$

e) $\begin{array}{r} 69,7\square \\ + \underline{236,\square2} \\ 3\square6,11 \end{array}$

f) $\begin{array}{r} 700 \\ - \underline{\square4,23} \\ 665,\square7 \end{array}$

g) $\begin{array}{r} 9,5\square2 \\ \times \underline{47} \\ 4\square9,8\square4 \end{array}$

h) $\begin{array}{r} 817,5 \\ \div \underline{\square5} \\ 32,\square \end{array}$

i) $\begin{array}{r} 3\square,82 \\ 459,\square \\ + \underline{7,94\square} \\ \square04,263 \end{array}$

Exercices

3. Complète le tableau ci-dessous.

	+ 4/100	+ 67/1000	− 9/10	x 6^2	÷ $\sqrt{16}$
504,08					
293,656					
89,3					
77,72					
638,9					
3000					
56,384					
912,552					

4. Trouve les termes manquants.

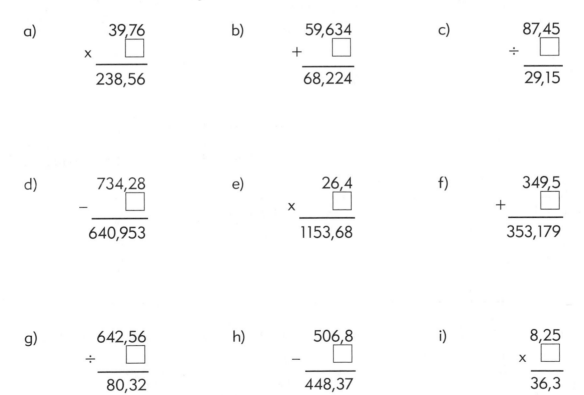

a)
```
      39,76
  x   ☐
  ─────────
    238,56
```

b)
```
     59,634
  +  ☐
  ─────────
    68,224
```

c)
```
     87,45
  ÷  ☐
  ─────────
    29,15
```

d)
```
    734,28
  − ☐
  ─────────
   640,953
```

e)
```
      26,4
  x   ☐
  ─────────
   1153,68
```

f)
```
     349,5
  +  ☐
  ─────────
   353,179
```

g)
```
    642,56
  ÷ ☐
  ─────────
    80,32
```

h)
```
    506,8
  − ☐
  ─────────
   448,37
```

i)
```
     8,25
  x  ☐
  ─────────
    36,3
```

5. Résous les problèmes en laissant des traces de tes calculs.

a) Au Brésil, il fait 23,5 °C. Au Danemark, il fait 4 fois moins chaud qu'au Brésil. Quelle est la température au Danemark ? Arrondis ta réponse au dixième près.

Démarche :	Solution :

b) Une voiture roule à une vitesse de 95,7 km/h. Un avion vole à une vitesse qui équivaut à 6 fois celle d'une voiture. À quelle vitesse vole l'avion ?

Démarche :	Solution :

c) Dans son porte-monnaie, Josiane a 284,68 $. Son frère Jacob a 127,39 $ de moins dans le sien. Combien d'argent Jacob a-t-il dans son porte-monnaie ?

Démarche :	Solution :

d) Mélanie a un poids d'environ 44,54 kg. Son amie Alexandra pèse 8,6 kg de plus. Quel poids affiche le pèse-personne si Mélanie et Alexandra y montent ensemble ?

Démarche :	Solution :

e) Un écrivain écrit environ 3,5 pages par jour. Combien de jours prendra-t-il pour écrire un roman comportant 266 pages ?

Démarche :	Solution :

1. Une usine de textile spécialisée dans la fabrication du denim approvisionne des manufactures qui transforment le tissu en objets et en accessoires usuels : $\frac{5}{12}$ vont à la confection de vêtements tels que des jeans et des blousons, $\frac{1}{6}$ va à la confection de tentes et de housses, $\frac{7}{24}$ sont dirigés vers l'industrie de l'automobile, notamment pour la fabrication des banquettes, et le reste est réservé à la confection de sacs à main et de bandeaux. Quelle fraction irréductible de la production de denim est réservée pour la confection de cette dernière catégorie d'articles?

Démarche :

Réponse : _____ de la production est réservé pour la confection de sacs à main et de bandeaux.

2. Au cours d'un hiver particulièrement rigoureux, 4 alpinistes ont tenté l'ascension du mont Kilimandjaro en Tanzanie, mais sans succès. Le Néerlandais a grimpé à 3 reprises l'équivalent des $\frac{2}{7}$ de la montagne. Pour sa part, l'Australien a grimpé 7 fois l'équivalent du $\frac{1}{8}$ du versant est. Aussi, le Suisse a grimpé 2 fois l'équivalent du $\frac{1}{3}$ du versant ouest. Enfin, l'Autrichien a grimpé 4 fois l'équivalent des $\frac{2}{9}$ de la pente. Quel alpiniste s'est rendu le plus loin et quelle fraction de l'ascension a-t-il effectuée?

Démarche :

Réponse : L'/Le _____ s'est rendu le plus loin dans l'ascension du mont Kilimandjaro, soit les _____ .

3. Au festival du pouding-chômeur qui se tenait du mercredi au vendredi, les organisateurs ont préparé un gâteau énorme et fracassé le dernier record Guinness. La première journée, les festivaliers ont mangé l'équivalent du $\frac{2}{9}$ du gâteau. La deuxième journée, ils en ont englouti les $\frac{10}{27}$. La troisième journée, ils en ont engouffré le $\frac{1}{3}$. Quelle fraction de l'immense pouding-chômeur n'a pas été mangée?

Démarche :

Réponse : La fraction du pouding-chômeur qui n'a pas été mangée est _____ .

Test

1. Additionne et soustrais les fractions, puis réduis la réponse à sa plus simple expression.

Exemple : $\dfrac{1}{3} + \dfrac{1}{6} = \dfrac{(2 \times 1)}{(2 \times 3)} + \dfrac{1}{6} = \dfrac{2 + 1}{6} = \dfrac{3}{6}$ ou $\dfrac{1}{2}$

a) $\dfrac{3}{5} - \dfrac{3}{20}$

Rép. : _____

b) $\dfrac{3}{8} + \dfrac{1}{2}$

Rép. : _____

c) $\dfrac{5}{6} - \dfrac{1}{3}$

Rép. : _____

d) $\dfrac{2}{5} + \dfrac{3}{10}$

Rép. : _____

e) $\dfrac{9}{16} - \dfrac{1}{4}$

Rép. : _____

f) $\dfrac{7}{12} + \dfrac{1}{6}$

Rép. : _____

g) $\dfrac{8}{9} - \dfrac{1}{3}$

Rép. : _____

h) $\dfrac{4}{7} + \dfrac{3}{14}$

Rép. : _____

i) $\dfrac{7}{8} - \dfrac{11}{24}$

Rép. : _____

j) $\dfrac{2}{3} + \dfrac{2}{12}$

Rép. : _____

k) $\dfrac{9}{10} - \dfrac{7}{30}$

l) $\dfrac{5}{12} + \dfrac{1}{4}$

Rép. : _____

Rép. : _____

Exercices

2. **Multiplie les nombres naturels et les fractions et, s'il y a lieu, transforme le produit en nombre fractionnaire ou en fraction irréductible.**

a) $3 \times \dfrac{2}{8} = $ _____

b) $4 \times \dfrac{3}{5} = $ _____

c) $7 \times \dfrac{5}{9} = $ _____

d) $5 \times \dfrac{5}{6} = $ _____

e) $8 \times \dfrac{3}{4} = $ _____

f) $2 \times \dfrac{4}{7} = $ _____

g) $6 \times \dfrac{3}{10} = $ _____

h) $9 \times \dfrac{1}{3} = $ _____

i) $4 \times \dfrac{5}{8} = $ _____

j) $7 \times \dfrac{1}{4} = $ _____

k) $11 \times \dfrac{1}{2} = $ _____

l) $6 \times \dfrac{7}{10} = $ _____

3. **Résous les équations en tenant compte de la priorité des opérations et, s'il y a lieu, transforme la réponse en nombre fractionnaire ou en fraction irréductible.**

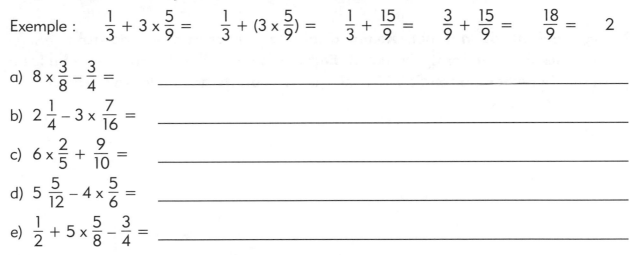

Exemple : $\dfrac{1}{3} + 3 \times \dfrac{5}{9} = \dfrac{1}{3} + (3 \times \dfrac{5}{9}) = \dfrac{1}{3} + \dfrac{15}{9} = \dfrac{3}{9} + \dfrac{15}{9} = \dfrac{18}{9} = 2$

a) $8 \times \dfrac{3}{8} - \dfrac{3}{4} = $ _____

b) $2\dfrac{1}{4} - 3 \times \dfrac{7}{16} = $ _____

c) $6 \times \dfrac{2}{5} + \dfrac{9}{10} = $ _____

d) $5\dfrac{5}{12} - 4 \times \dfrac{5}{6} = $ _____

e) $\dfrac{1}{2} + 5 \times \dfrac{5}{8} - \dfrac{3}{4} = $ _____

4. **Résous les équations en appliquant la distributivité et, s'il y a lieu, transforme la réponse en nombre fractionnaire ou en fraction irréductible.**

Exemple :

$4 \times (\dfrac{1}{4} + \dfrac{3}{8}) = (4 \times \dfrac{1}{4}) + (4 \times \dfrac{3}{8}) = \dfrac{4}{4} + \dfrac{12}{8} = \dfrac{8}{8} + \dfrac{12}{8} = \dfrac{20}{8} = 2\dfrac{4}{8} = 2\dfrac{1}{2}$

a) $8 \times (\dfrac{2}{3} - \dfrac{1}{6}) = $ _____

b) $3 \times (\dfrac{2}{5} + \dfrac{3}{10}) = $ _____

c) $5 \times (\dfrac{11}{16} - \dfrac{1}{2}) = $ _____

d) $6 \times (\dfrac{1}{3} + \dfrac{4}{9}) = $ _____

e) $7 \times (\dfrac{19}{20} - \dfrac{4}{5}) = $ _____

Exercices

1. À l'urgence d'un hôpital, les patients attendent de voir un médecin. Cédric s'est cassé un bras en pratiquant son sport préféré : la planche à roulettes. Nerveux et souffrant, il consulte sa montre à plusieurs reprises pendant la longue attente. L'aiguille des minutes a le temps d'effectuer 28 fois le $\frac{1}{8}$ du cadran avant que Cédric ne puisse rencontrer le médecin. Si le garçon est arrivé à 22 h 15, à quelle heure le médecin a-t-il examiné son bras ?

   Démarche :

   Réponse : Le médecin a examiné le bras de Cédric à _____ h _____ .

2. Les 4 enfants de la famille Rondeau sont des amateurs de jus de fruits. Si Alexandre a bu les $\frac{3}{10}$ du pichet, Édith en a bu le $\frac{1}{5}$ et Corinne en a bu les $\frac{7}{20}$, et que le pichet contenait 2000 ml, quelle quantité de jus de fruits reste-t-il pour Madeleine ?

   Démarche :

   Réponse : Il reste _____ ml de jus de fruits pour Madeleine.

3. Les participants à une compétition de lancement de fusées artisanales ont vécu des émotions fortes. En effet, $\frac{1}{6}$ des fusées a culbuté au lancement, $\frac{3}{16}$ des fusées ont explosé, et $\frac{5}{12}$ des fusées se sont élevées à moins de 5 m avant de retomber et de s'écraser au sol. Si la compétition accueillait 48 participants qui devaient faire décoller chacun une fusée, combien d'entre elles se sont envolées à plus de 5 m du sol ?

   Démarche :

   Réponse : _____ fusées se sont envolées à plus de 5 m du sol.

Test

1. Colorie les équations dont la somme est égale à 1.

$\frac{1}{2} + \frac{3}{4} + \frac{1}{8}$	$\frac{1}{6} + \frac{1}{3} + \frac{15}{24}$	$\frac{1}{4} + \frac{3}{8} + \frac{6}{16}$
$\frac{2}{20} + \frac{1}{5} + \frac{7}{10}$	$\frac{7}{18} + \frac{1}{3} + \frac{2}{9}$	$\frac{1}{2} + \frac{5}{12} + \frac{2}{6}$
$\frac{4}{15} + \frac{1}{5} + \frac{16}{30}$	$\frac{1}{3} + \frac{5}{9} + \frac{2}{27}$	$\frac{10}{28} + \frac{3}{14} + \frac{3}{7}$

2. Colorie les équations dont la différence est égale à $\frac{1}{2}$.

$\frac{7}{8} - \frac{1}{4}$	$\frac{4}{5} - \frac{3}{10}$	$\frac{5}{6} - \frac{6}{18}$	$\frac{5}{7} - \frac{3}{14}$
$\frac{9}{10} - \frac{2}{5}$	$\frac{3}{4} - \frac{5}{16}$	$\frac{7}{10} - \frac{9}{20}$	$\frac{8}{9} - \frac{1}{3}$

3. Additionne et soustrais les fractions et, s'il y a lieu, transforme la réponse en nombre fractionnaire ou en fraction irréductible.

Exemple : $\frac{5}{6} + \frac{11}{18} = \frac{(5 \times 3)}{(6 \times 3)} + \frac{11}{18} = \frac{15 + 11}{18} = \frac{26}{18}$ ou $1\frac{8}{18}$ ou $1\frac{4}{9}$

a) $\frac{3}{4} + \frac{8}{16}$

Rép. : _____

b) $3\frac{2}{3} - 1\frac{5}{6}$

Rép. : _____

c) $\frac{7}{8} + \frac{1}{2}$

Rép. : _____

d) $4\frac{1}{5} - 2\frac{3}{10}$

Rép. : _____

e) $\frac{4}{7} + \frac{18}{21}$

Rép. : _____

f) $2\frac{2}{3} - \frac{7}{9}$

Rép. : _____

Exercices

4. Colorie les équations dont le produit est plus grand que 1, mais plus petit que 2.

$\frac{2}{3} + \frac{7}{18} + \frac{5}{6}$	$\frac{1}{2} + \frac{15}{16} + \frac{7}{8}$	$\frac{1}{10} + \frac{9}{20} + \frac{2}{5}$
$\frac{3}{16} + \frac{3}{4} + \frac{3}{8}$	$\frac{9}{14} + \frac{5}{28} + \frac{4}{7}$	$\frac{8}{9} + \frac{17}{18} + \frac{31}{36}$
$\frac{8}{15} + \frac{17}{30} + \frac{2}{5}$	$\frac{3}{4} + \frac{5}{24} + \frac{1}{8}$	$\frac{49}{100} + \frac{17}{50} + \frac{3}{5}$

5. Résous les équations en respectant les parenthèses et, s'il y a lieu, transforme la réponse en nombre fractionnaire ou en fraction irréductible.

Exemple : $(\frac{4}{7} + \frac{9}{14}) - (2 \times \frac{5}{28}) =$ $(\frac{16}{28} + \frac{18}{28}) - (\frac{10}{28}) =$ $\frac{34}{28} - \frac{10}{28} =$ $\frac{6}{7}$

a) $(\frac{8}{9} - \frac{1}{3}) \times (3 + 4)$ = _____

b) $(6 \times \frac{1}{2}) + (\frac{5}{6} \times 8)$ = _____

c) $(\frac{4}{7} \times 5) - (2 - \frac{17}{21})$ = _____

d) $(9 \div 3) \times (\frac{3}{5} + \frac{8}{15})$ = _____

e) $(\frac{5}{8} + \frac{3}{16}) + (4 \times \frac{1}{8}) - \frac{1}{4}$ = _____

6. Complète le tableau ci-dessous et, s'il y a lieu, transforme la réponse en nombre fractionnaire ou en fraction irréductible.

	x 3	$+ \frac{5}{24}$	$- \frac{1}{24}$	x 7	$\times 4 + \frac{1}{2}$	$\times 6 - \frac{9}{24}$
$\frac{1}{2}$						
$\frac{3}{4}$						
$\frac{5}{6}$						
$\frac{3}{8}$						
$\frac{11}{12}$						
$\frac{15}{24}$						

Exercices

1. **Le père de Sébastien travaille comme microbiologiste dans un laboratoire. Découvre son instrument de prédilection en traçant des points aux 44 coordonnées suivantes et en les reliant dans l'ordre par un trait.**

(9, –8) (9, –10) (–4, –10) (–4, –8) (–3, –8) (–1, –5) (–4, –3) (–5, 0) (–3, 3) (2, 6) (4, 6)

(4, 7) (5, 7) (5, 9) (7, 9) (7, 7) (8, 7) (8, 1) (9, 2) (9, 1) (10, 0) (9, –1)

(8, 0) (7, 0) (7, –1) (5, –1) (5, 2) (1, 2) (–1, 0) (–1, –2) (0, –3) (2, –3) (2, –2)

(10, –2) (10, –3) (3, –3) (3, –8) (5, –8) (5, –6) (4, –5) (5, –4) (8, –6) (7, –7) (7, –8)

Complète l'illustration en reliant les coordonnées (7, -8) et (9, -8).

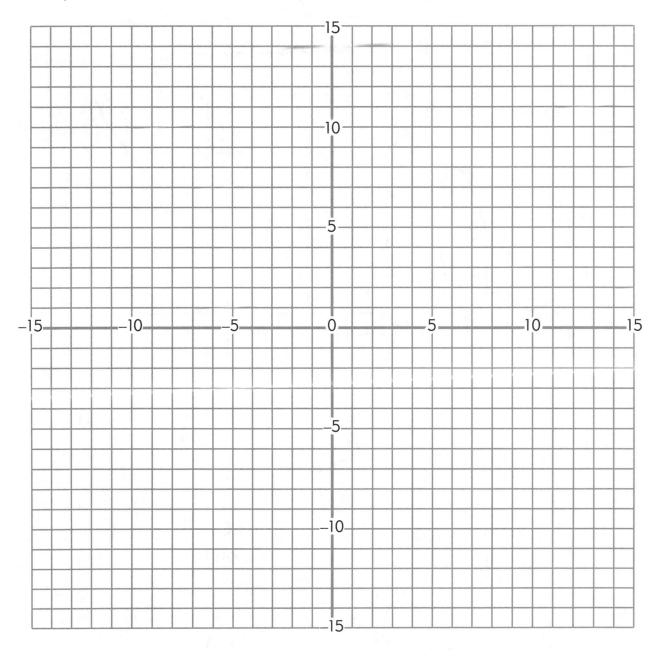

Réponse : L'instrument de prédilection du père de Sébastien est le _____.

Test

1. Trouve les coordonnées des points qui ont servi à compléter l'image du petit singe d'Ariane.

A : (___ , ___)　　B : (___ , ___)　　C : (___ , ___)　　D : (___ , ___)　　E : (___ , ___)

F : (___ , ___)　　G : (___ , ___)　　H : (___ , ___)　　I : (___ , ___)　　J : (___ , ___)

K : (___ , ___)　　L : (___ , ___)　　M : (___ , ___)　　N : (___ , ___)　　O : (___ , ___)

P : (___ , ___)　　Q : (___ , ___)　　R : (___ , ___)　　S : (___ , ___)　　T : (___ , ___)

U : (___ , ___)　　V : (___ , ___)　　W : (___ , ___)　　X : (___ , ___)　　Y : (___ , ___)

Z : (___ , ___)　　AA : (___ , ___)　　BB : (___ , ___)　　CC : (___ , ___)　　DD : (___ , ___)

EE : (___ , ___)　　FF : (___ , ___)　　GG : (___ , ___)　　HH : (___ , ___)　　II : (___ , ___)

JJ : (___ , ___)　　KK : (___ , ___)　　LL : (___ , ___)　　MM : (___ , ___)　　NN : (___ , ___)

OO : (___ , ___)　　PP : (___ , ___)　　QQ : (___ , ___)　　RR : (___ , ___)　　SS : (___ , ___)

TT : (___ , ___)　　UU : (___ , ___)　　VV : (___ , ___)　　WW : (___ , ___)

Exercices

2. Une compagnie vient d'installer ses bureaux dans un édifice qui compte plusieurs étages. Place les locaux sur le bon étage à l'aide des indices ci-dessous.

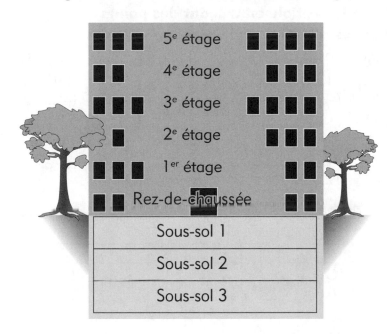

- L'administration est juste au-dessus de la cafétéria.
- La conciergerie est au 2e sous-sol.
- La réserve est entre la conciergerie et la cafétéria.
- La salle de conférence est située juste au-dessous des archives.
- Les cabinets de travail sont entre l'administration et la salle de conférence.
- La chaufferie est sous la conciergerie.
- La salle multimédia est située juste au-dessus des archives.

3. Dans le port de Marseille en France, plusieurs types de navires sont amarrés aux quais. Trouve leur emplacement en les positionnant sur l'axe ci-dessous, et ce, à l'aide des indices.

- La corvette n'est pas à côté de la pirogue.
- Le paquebot est situé entre la goélette et la vedette.
- Le remorqueur est à la position –2.
- Le chalutier est situé juste à droite du porte-conteneurs.
- La vedette est située juste à droite du bateau-pompe, à deux places du remorqueur.
- Le bateau-phare est situé entre le chalutier et le porte-avions.
- La pirogue est située à gauche de la frégate.
- Le porte-avions est situé juste à gauche du remorqueur.
- Le baliseur n'a pas de bateau à sa droite.

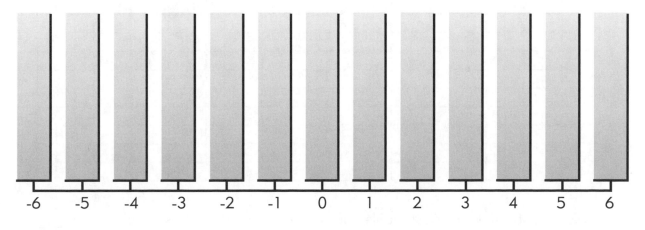

Exercices

4. Une troupe de scouts fait du camping dans la forêt. Pendant la nuit, une bestiole sème l'émoi en se faufilant dans le sac de couchage de l'un des dormeurs. Découvre l'identité de la bestiole en traçant des points aux 62 coordonnées suivantes et en les reliant dans l'ordre par un trait.

(–2, –7)	(–7, –7)	(–9, –8)	(–7, –6)	(–9, –6)	(–7, –5)	(–8, –3)	(–6, –5)	(–3, –5)
(–1, –3)	(–3, –2)	(–4, 0)	(–8, –1)	(–10, 0)	(–13, 0)	(–11, 1)	(–13, 3)	(–11, 2)
(–11, 4)	(–10, 2)	(–8, 1)	(–6, 3)	(–7, 5)	(–9, 6)	(–11, 6)	(–12,8)	(–12, 12)
(–8, 12)	(–6, 11)	(–6,9)	(–5, 7)	(–3, 6)	(–1, 8)	(–2, 10)	(–4, 11)	(–2, 11)
(–3, 13)	(–1, 12)	(0, 14)	(0, 11)	(1, 9)	(1, 5)	(3, 4)	(4, 2)	(6, 3)
(6, 5)	(4, 7)	(6, 6)	(5, 8)	(7, 6)	(7, 8)	(8, 6)	(8, 2)	(7, 0)
(5, –2)	(8, –5)	(10, –5)	(10, –1)	(12, –5)	(10, –7)	(8, –7)	(2, –4)	

Complète l'illustration en reliant les coordonnées (-2, -7) et (2, -4).

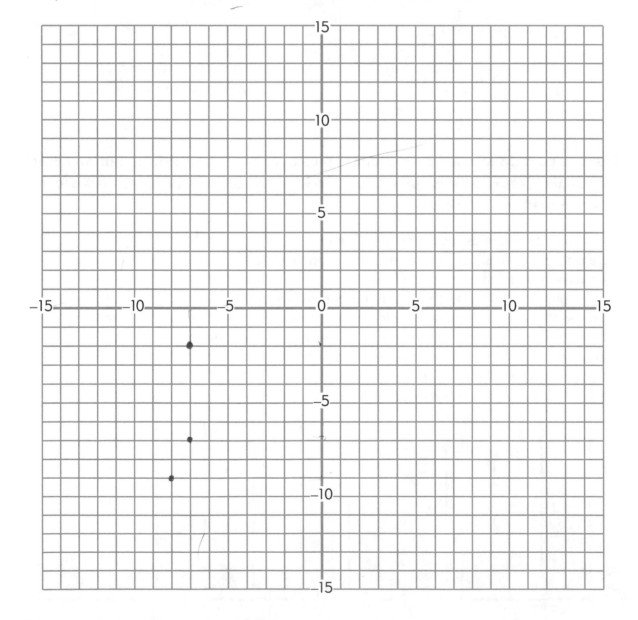

Réponse : La bestiole qui s'est faufilée dans le sac de couchage est un(e) _____.

Exercices

1. **À l'aide d'un globe terrestre, d'un atlas ou d'une mappemonde, trouve le nom des provinces et des territoires du Canada qui sont situés aux coordonnées suivantes :**

   a) (–5, –4) : _____

   b) (4, 4) : _____

   c) (–11, 2) : _____

   d) (3, –6) : _____

   e) (–10, –5) : _____

   f) (10, –3) : _____

   g) (–8, 1) : _____

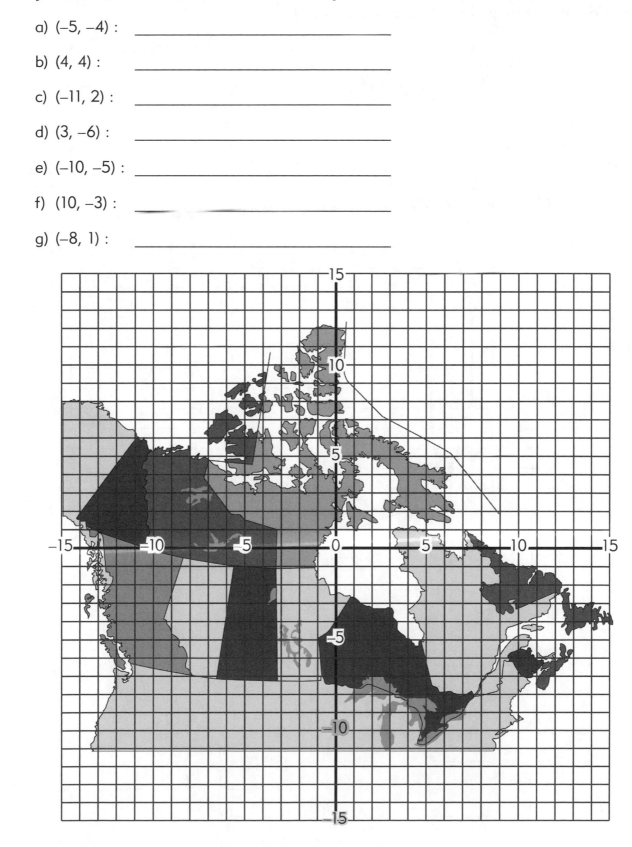

1. **Complète le contour du dessin de l'ananas par symétrie (l'axe de symétrie correspondant à l'ordonnée), puis identifie chacune des 23 nouvelles coordonnées auxquelles tu as placé un point.**

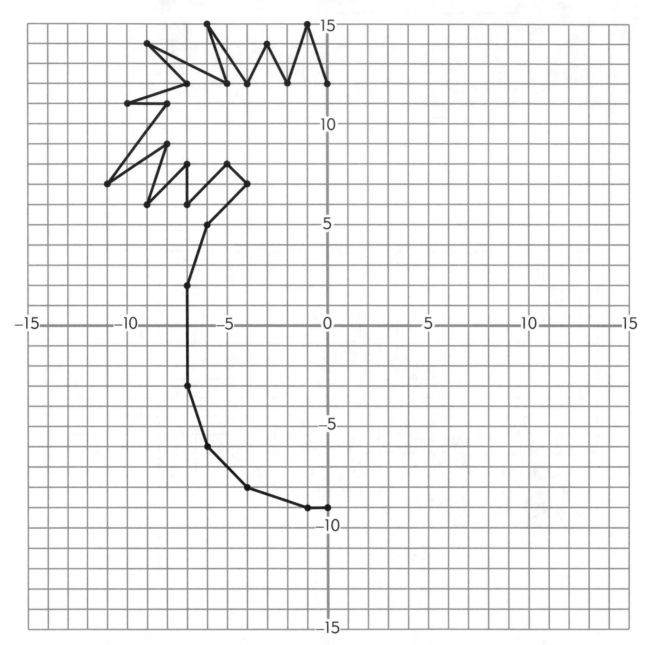

Les 23 nouvelles coordonnées sont :

(__ , __)   (__ , __)   (__ , __)   (__ , __)   (__ , __)   (__ , __)

(__ , __)   (__ , __)   (__ , __)   (__ , __)   (__ , __)   (__ , __)

(__ , __)   (__ , __)   (__ , __)   (__ , __)   (__ , __)   (__ , __)

(__ , __)   (__ , __)   (__ , __)   (__ , __)   (__ , __)

Exercices

2. Observe les axes ci-dessous, puis fais ce qui est demandé.

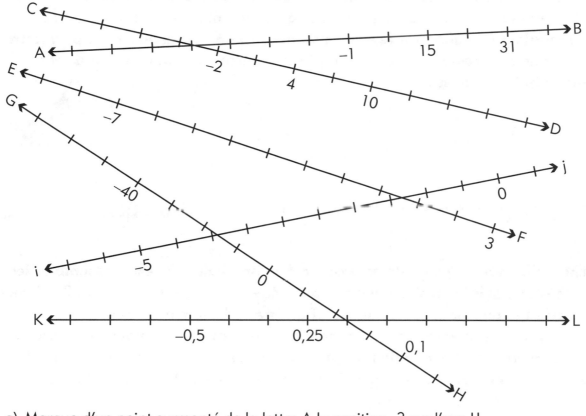

a) Marque d'un point surmonté de la lettre A la position -3 sur l'axe IJ.   _____

b) Marque d'un point surmonté de la lettre B la position -14 sur l'axe CD.   _____

c) Marque d'un point surmonté de la lettre C la position 20 sur l'axe GH.   _____

d) Marque d'un point surmonté de la lettre D la position 0 sur l'axe EF.   _____

e) Marque d'un point surmonté de la lettre E la position -25 sur l'axe AB.   _____

f) Marque d'un point surmonté de la lettre G la position -1,25 sur l'axe KL.   _____

g) Marque d'un point surmonté de la lettre F la position -5 sur l'axe EF.   _____

h) À quelle position de l'axe GH celui-ci croise-t-il l'axe IJ ?   _____

i) À quelle position de l'axe IJ celui-ci croise-t-il l'axe EF ?   _____

j) À quelle position de l'axe KL celui-ci croise-t-il l'axe GH ?   _____

k) À quelle position de l'axe EF celui-ci croise-t-il l'axe IJ ?   _____

Exercices

1. **La propriétaire d'un chenil construit des niches en bois pour abriter ses bergers allemands. Faisant preuve de créativité, elle utilise 5 prismes à base rectangulaire pour fabriquer les côtés de chaque niche et 1 prisme à base hexagonale pour fabriquer le toit, laissant ainsi une ouverture pour permettre aux chiens de circuler à volonté. Combien de faces, de sommets et d'arêtes comportent 14 niches?**

   Démarche :

   Réponse : Les 14 niches comportent _____ faces, _____ sommets et _____ arêtes.

2. **Aïcha collectionne les modèles à coller. Son prochain défi est d'assembler les pièces d'un navire transbordeur composé de 4 éléments principaux : 2 prismes à base triangulaire pour les 2 coques, 3 prismes à base carrée pour le compartiment des voitures et 1 prisme à base pentagonale pour la cabine des passagers et la passerelle de navigation. Quelles figures planes et combien d'entre elles composent les polyèdres servant à assembler le modèle?**

   Démarche :

   Réponse : Les figures planes suivantes entrent dans la composition des polyèdres servant à assembler le modèle : _____

   _____

3. **L'agence spatiale vient de placer en orbite un satellite de télécommunications qui devrait faciliter l'accès à Internet pour les communautés éloignées des grands centres urbains. Ce satellite est composé de 3 polyèdres formés à partir de ces figures planes : 8 triangles et 6 carrés. Quels sont les 3 polyèdres qui composent le satellite?**

   Démarche :

   Réponse : Les 3 polyèdres qui composent le satellite sont _____, _____ et _____.

Test

1. Applique la formule d'Euler pour chacun des polyèdres.

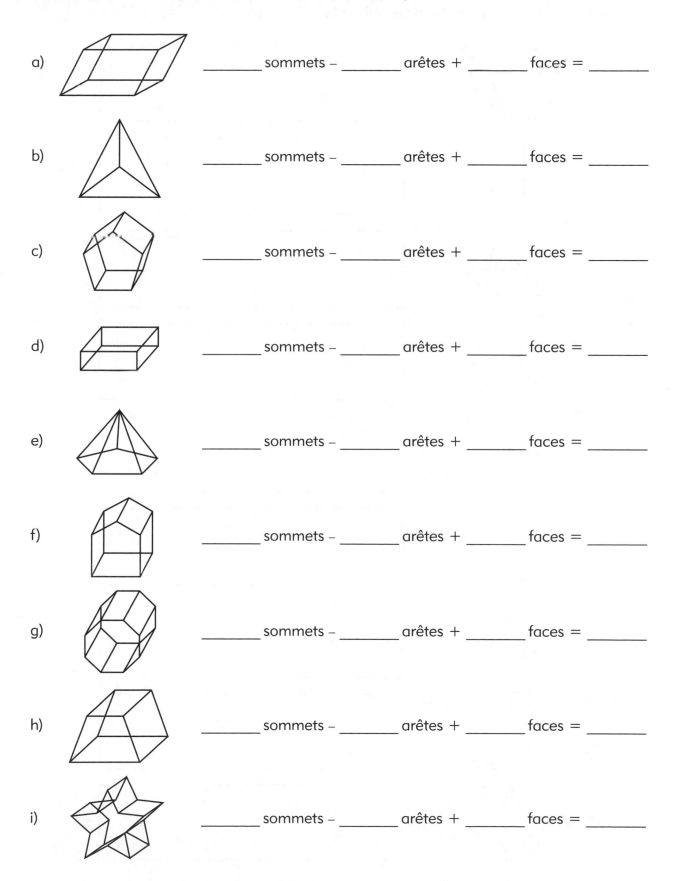

a) _____ sommets – _____ arêtes + _____ faces = _____

b) _____ sommets – _____ arêtes + _____ faces = _____

c) _____ sommets – _____ arêtes + _____ faces = _____

d) _____ sommets – _____ arêtes + _____ faces = _____

e) _____ sommets – _____ arêtes + _____ faces = _____

f) _____ sommets – _____ arêtes + _____ faces = _____

g) _____ sommets – _____ arêtes + _____ faces = _____

h) _____ sommets – _____ arêtes + _____ faces = _____

i) _____ sommets – _____ arêtes + _____ faces = _____

Exercices

2. Dans les rectangles, dessine le développement des figures planes qui a servi à former chacun des polyèdres suivants.

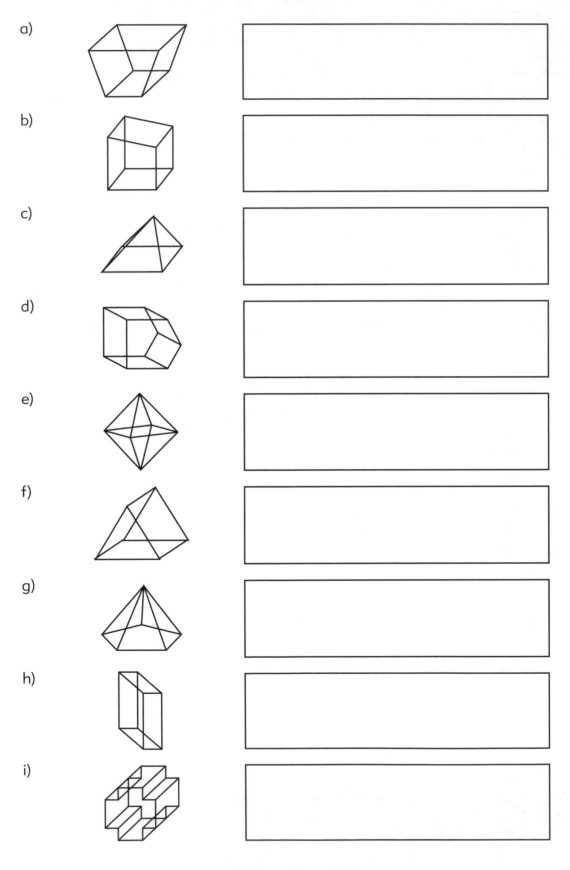

a)

b)

c)

d)

e)

f)

g)

h)

i)

Exercices

1. **Classifie les polyèdres en inscrivant leur numéro dans le bon ensemble.**

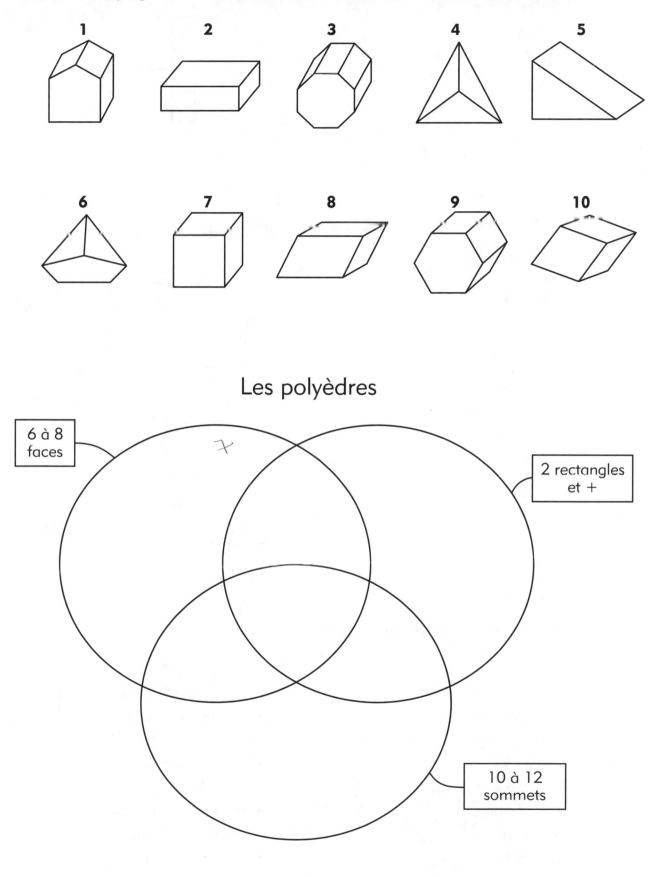

Les polyèdres

6 à 8 faces

2 rectangles et +

10 à 12 sommets

Test

1. **Relie par un trait chaque polyèdre à son développement.**

a)

b)

c)

d)

e)

f)

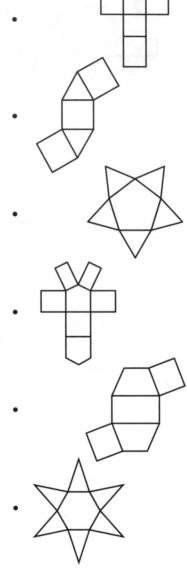

2. **Relie chaque nom de polyèdre à sa définition.**

a)   hexaèdre •
b)   décaèdre •
c)   tétraèdre •
d)   octaèdre •
e)   dodécaèdre •
f)   pentaèdre •
g)   ennéaèdre •
h)   heptaèdre •
i)   endécaèdre •

• polyèdre à 4 faces
• polyèdre à 5 faces
• polyèdre à 6 faces
• polyèdre à 7 faces
• polyèdre à 8 faces
• polyèdre à 9 faces
• polyèdre à 10 faces
• polyèdre à 11 faces
• polyèdre à 12 faces

Exercices

3. Observe les polyèdres, puis complète le tableau en dénombrant le nombre de faces, de sommets et d'arêtes.

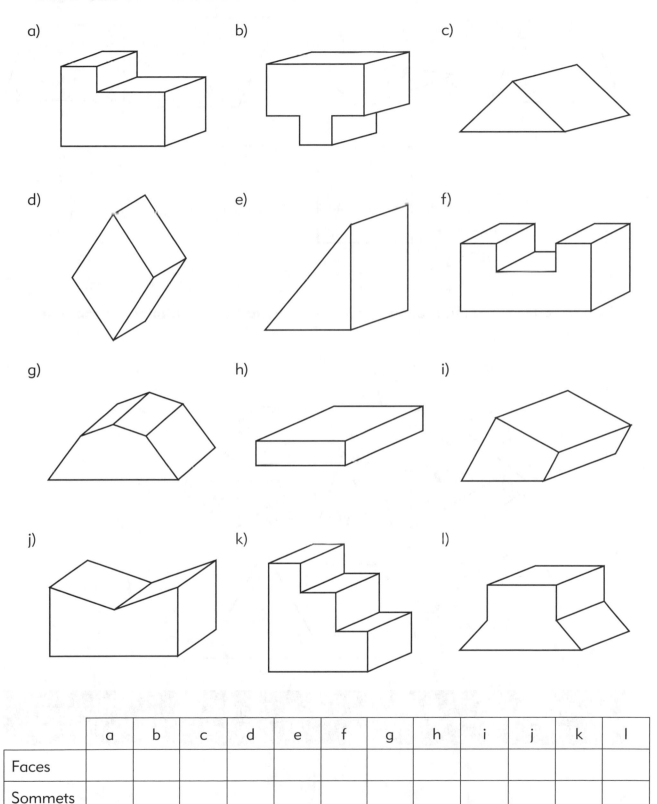

	a	b	c	d	e	f	g	h	i	j	k	l
Faces												
Sommets												
Arêtes												

Exercices

1. **Pour chaque figure, colorie en bleu les angles droits, en rouge les angles aigus, en jaune les angles obtus et en mauve les angles rentrants (entre 180 et 360 degrés).**

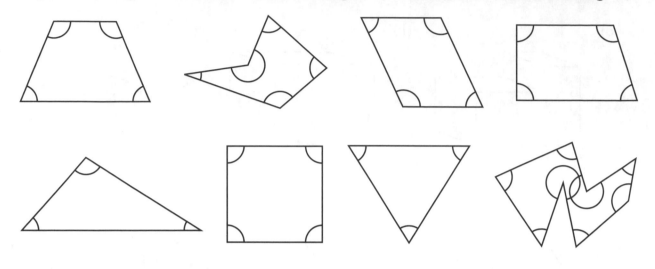

2. **Place la lettre associée à chaque triangle dans la bonne colonne du tableau.**

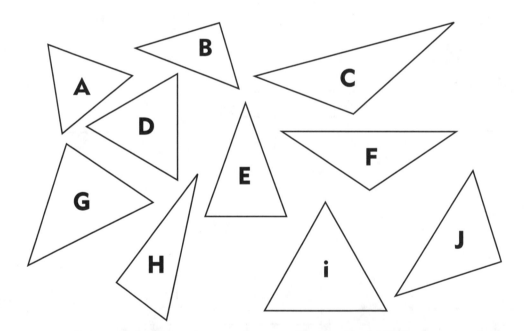

Triangles scalènes	Triangles rectangles	Triangles isocèles	Triangles équilatéraux

Test

3. Mesure chacun des angles à l'aide d'un rapporteur.

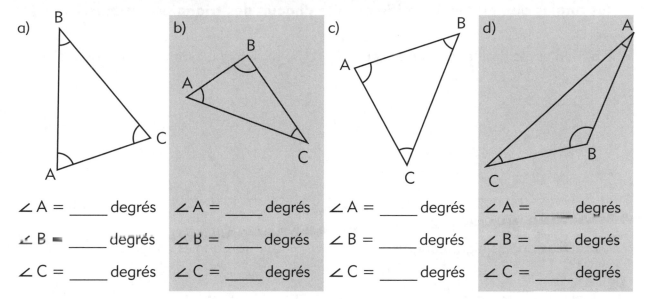

a)

∠ A = _____ degrés

∠ B = _____ degrés

∠ C = _____ degrés

b)

∠ A = _____ degrés

∠ B = _____ degrés

∠ C = _____ degrés

c)

∠ A = _____ degrés

∠ B = _____ degrés

∠ C = _____ degrés

d)

∠ A = _____ degrés

∠ B = _____ degrés

∠ C = _____ degrés

4. À l'aide d'un compas et d'une règle graduée, dessine dans le rectangle ci-dessous un cercle dont le rayon est de 5,5 cm. Trace ensuite en bleu la circonférence, en rouge le diamètre et en vert le rayon. Indique enfin la mesure du diamètre.

Test

1. **Trace trois segments de droite en reliant les points, et ce, afin d'obtenir les angles demandés. Identifie ensuite chacun des triangles obtenus.**

a) Un angle droit et un angle aigu

```
. . . . . .
. . . . . .
. . . . . .
. . . . . .
. . . . . .
```

Nom du triangle : _____

b) Un angle obtus et un angle aigu

```
. . . . . .
. . . . . .
. . . . . .
. . . . . .
. . . . . .
```

Nom du triangle : _____

c) Deux angles aigus congrus

```
. . . . . .
. . . . . .
. . . . . .
. . . . . .
. . . . . .
```

Nom du triangle : _____

d) Trois angles congrus

```
. . . . . .
. . . . . .
. . . . . .
. . . . . .
. . . . . .
```

Nom du triangle : _____

2. **Trouve la mesure des angles à l'aide des indices, et ce, sans utiliser le rapporteur d'angles.**

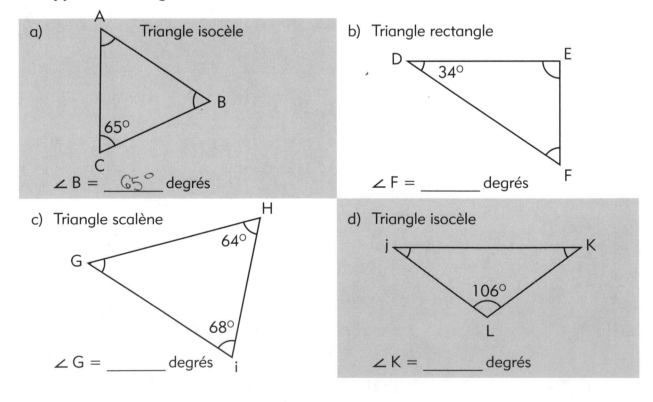

a) Triangle isocèle

∠ B = ___65°___ degrés

b) Triangle rectangle

∠ F = _____ degrés

c) Triangle scalène

∠ G = _____ degrés

d) Triangle isocèle

∠ K = _____ degrés

Exercices

3. **Un hypnotiseur utilise un pendule pour magnétiser ses patients. Mesure chacun des angles tracés par le pendule, et ce, à l'aide d'un rapporteur, puis trouve la mesure de l'angle supplémentaire.**

a)

∠ ABC = _____ degrés
∠ supplémentaire : _____ degrés

b)

∠ DEF = _____ degrés
∠ supplémentaire : _____ degrés

c)

∠ GHI = _____ degrés
∠ supplémentaire : _____ degrés

d)

∠ JKL = _____ degrés
∠ supplémentaire : _____ degrés

e)

∠ MNO = _____ degrés
∠ supplémentaire : _____ degrés

f)

∠ PQR = _____ degrés
supplémentaire : _____ degrés

g)

∠ STU = _____ degrés
∠ supplémentaire : _____ degrés

h)

∠ VWX = _____ degrés
∠ supplémentaire : _____ degrés

Exercices

4. Relie chaque nom de polygone à sa définition.

a)   heptagone •

b)   décagone •

c)   quadrilatère •

d)   ennéagone •

e)   hexagone •

f)   triangle •

g)   pentagone •

h)   hendécagone •

i)   dodécagone •

j)   octogone •

•   polygone à 3 côtés

•   polygone à 4 côtés

•   polygone à 5 côtés

•   polygone à 6 côtés

•   polygone à 7 côtés

•   polygone à 8 côtés

•   polygone à 9 côtés

•   polygone à 10 côtés

•   polygone à 11 côtés

•   polygone à 12 côtés

5. En te servant d'une règle et d'un rapporteur d'angles, trace dans chaque carré 2 segments de droite formant l'angle indiqué.

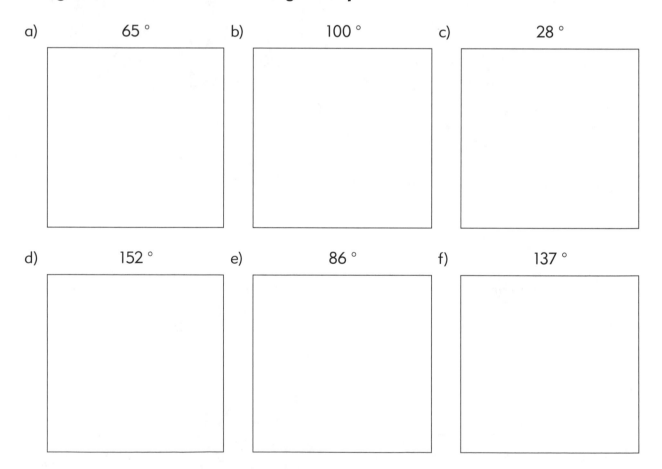

a)   65 °   b)   100 °   c)   28 °

d)   152 °   e)   86 °   f)   137 °

Exercices

6. Un métronome bat la mesure au son d'une mélodie. Mesure chacun des angles tracés par le pendule du métronome, et ce, à l'aide d'un rapporteur, puis trouve la mesure de l'angle complémentaire.

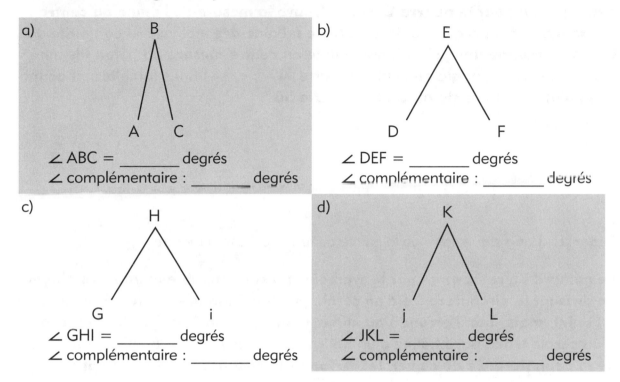

a)

B

A   C

∠ ABC = _____ degrés
∠ complémentaire : _____ degrés

b)

E

D   F

∠ DEF = _____ degrés
∠ complémentaire : _____ degrés

c)

H

G   i

∠ GHI = _____ degrés
∠ complémentaire : _____ degrés

d)

K

j   L

∠ JKL = _____ degrés
∠ complémentaire : _____ degrés

7. Inscris la lettre de chaque angle dans la colonne appropriée du tableau.

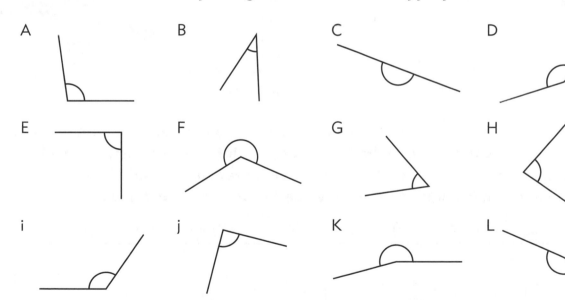

A   B   C   D

E   F   G   H

i   j   K   L

Angles aigus	Angles droits	Angles obtus	Angles plats	Angles rentrants

1. **Gaston a préparé sa fameuse tarte au citron qu'il a recouverte de meringue. Sa conjointe et ses trois enfants se sont jetés sur le dessert encore chaud pour s'en couper chacun une grosse pointe. Mais voilà qu'il ne reste qu'une toute petite pointe pour le pauvre Gaston! Trouve la mesure de l'angle au centre formé par cette dernière pointe de tarte à l'aide des indices : la conjointe de Gaston a mangé une pointe dont l'angle au centre mesure 88 °; son fils aîné, une pointe dont l'angle au centre mesure 117 °; et ses filles jumelles, chacune une pointe dont l'angle au centre mesure 56 °.**

   Démarche :

   Réponse : L'angle au centre de la pointe de tarte de Gaston mesure _____ °.

2. **Le nombre pi, représenté par le symbole π, est un nombre irrationnel obtenu en divisant la circonférence d'un cercle par son diamètre. Ce nombre se poursuit à l'infini, mais si on l'arrondit au millième près, on obtient 3,142. Si le rayon d'un cercle tracé par l'hélice d'un hélicoptère mesure 4 m, quelle est la mesure de la circonférence de ce cercle? Arrondis ta réponse au centième près.**

   Démarche :

   Réponse : La mesure de la circonférence du cercle est de _____ m.

3. **Sonia prétend qu'elle peut dessiner un quadrilatère comprenant 3 angles aigus et 1 angle qui n'est ni aigu, ni droit, ni obtus, ni plat. Pour sa part, Michael prétend qu'il peut dessiner un triangle isocèle et rectangle à la fois. Dessine dans le bon carré les figures de Sonia et de Michael à l'aide d'une règle.**

   Quadrilatère de Sonia   Triangle de Michael

4. Trouve la circonférence des cercles placés ci-dessous, et ce, à l'aide des indices. Arrondis ta réponse à l'unité près.

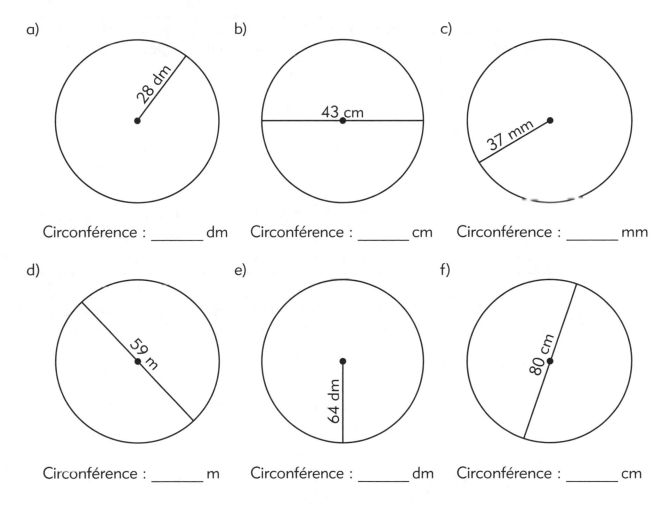

a)

28 dm

Circonférence : _____ dm

b)

43 cm

Circonférence : _____ cm

c)

37 mm

Circonférence : _____ mm

d)

59 m

Circonférence : _____ m

e)

64 dm

Circonférence : _____ dm

f)

80 cm

Circonférence : _____ cm

5. Trouve l'angle complémentaire et l'angle supplémentaire.

a) ∠ de 68 °   ∠ complémentaire : _____ °   ∠ supplémentaire : _____ °

b) ∠ de 27 °   ∠ complémentaire : _____ °   ∠ supplémentaire : _____ °

c) ∠ de 39 °   ∠ complémentaire : _____ °   ∠ supplémentaire : _____ °

d) ∠ de 51 °   ∠ complémentaire : _____ °   ∠ supplémentaire : _____ °

e) ∠ de 74 °   ∠ complémentaire : _____ °   ∠ supplémentaire : _____ °

f) ∠ de 46 °   ∠ complémentaire : _____ °   ∠ supplémentaire : _____ °

g) ∠ de 15 °   ∠ complémentaire : _____ °   ∠ supplémentaire : _____ °

h) ∠ de 82 °   ∠ complémentaire : _____ °   ∠ supplémentaire : _____ °

1. **Dessine dans chaque rectangle la figure demandée à l'aide du compas ou de la règle, et ce, en respectant les consignes.**

a) Un triangle scalène comportant un angle de 52 ° et un autre de 46 °.

b) Un triangle rectangle dont l'un des angles mesure 30 °.

c) Un triangle équilatéral dont l'un des côtés mesure 3,4 cm.

d) Un triangle isocèle dont l'un des angles mesure 55 ° et un autre 70 °.

e) Un cercle dont le diamètre est de 5 cm.

f) Un cercle dont le rayon est de 28 mm.

Exercices

2. Mesure chacun des angles formés par les rayons du cercle à l'aide d'un rapporteur.

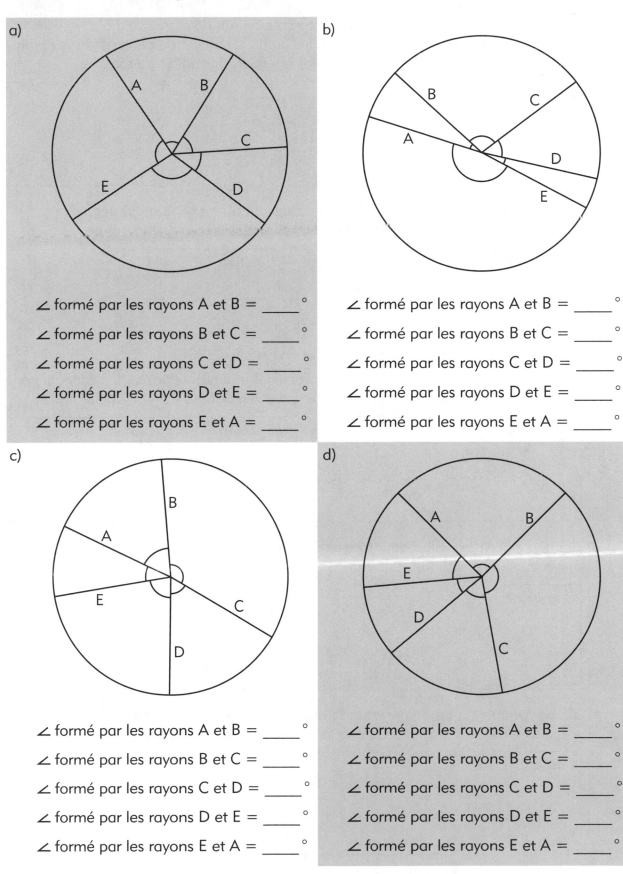

a)

∠ formé par les rayons A et B = _____ °

∠ formé par les rayons B et C = _____ °

∠ formé par les rayons C et D = _____ °

∠ formé par les rayons D et E = _____ °

∠ formé par les rayons E et A = _____ °

b)

∠ formé par les rayons A et B = _____ °

∠ formé par les rayons B et C = _____ °

∠ formé par les rayons C et D = _____ °

∠ formé par les rayons D et E = _____ °

∠ formé par les rayons E et A = _____ °

c)

∠ formé par les rayons A et B = _____ °

∠ formé par les rayons B et C = _____ °

∠ formé par les rayons C et D = _____ °

∠ formé par les rayons D et E = _____ °

∠ formé par les rayons E et A = _____ °

d)

∠ formé par les rayons A et B = _____ °

∠ formé par les rayons B et C = _____ °

∠ formé par les rayons C et D = _____ °

∠ formé par les rayons D et E = _____ °

∠ formé par les rayons E et A = _____ °

Exercices

3. Résous les problèmes en laissant des traces de tes calculs.

a) La roue à aubes d'un bateau à vapeur mesure 54 dm de diamètre. La roue avant du vélo de Miguel a un diamètre 9 fois moins grand. Combien de centimètres le rayon de la roue du vélo de Miguel mesure-t-il ? Attention aux unités de mesure.

Démarche :	Solution :

b) Un parallélogramme comporte 2 angles aigus mesurant chacun 63 degrés. Trouve la mesure de chacun des deux autres angles du parallélogramme.

Démarche :	Solution :

c) Pénélope dit qu'elle peut former un carré avec 2 triangles rectangles, 1 triangle isocèle et un triangle scalène. Dessine la façon dont elle a disposé ces 4 triangles.

Démarche :	Solution :

d) Clément colle des pailles pour former des rayons sur une assiette de carton. Si chaque angle au centre ainsi formé mesure 15 degrés, combien de pailles a-t-il utilisées ?

Démarche :	Solution :

e) Si une pyramide à base carrée est formée d'un carré et de 4 triangles isocèles, quelle est la somme de la mesure des angles des figures planes qui composent ce polyèdre ?

Démarche :	Solution :

Exercices

1. **Reproduis les figures par translation à partir du point de départ marqué d'un A, et ce, en respectant les consignes et en marquant le point d'arrivée d'un B.**

a) 9 cases vers la gauche
   3 cases vers le bas

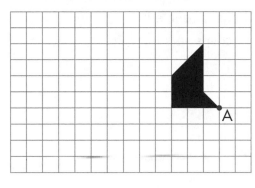

b) 4 cases vers le haut
   4 cases vers la droite

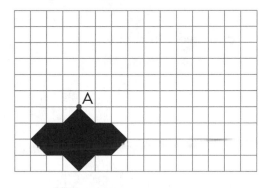

c) 3 cases vers le bas
   5 cases vers la droite

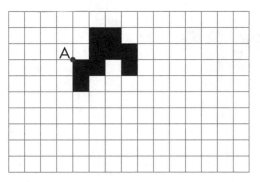

d) 8 cases vers la gauche
   4 cases vers le haut

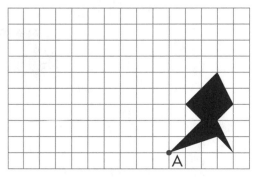

e) 9 cases vers la droite
   3 cases vers le haut

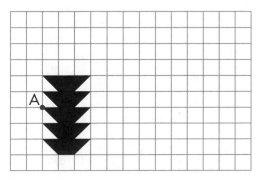

f) 6 cases vers le bas
   5 cases vers la gauche

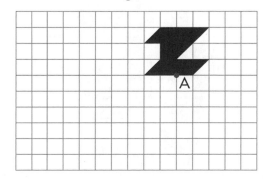

Test

1. Reproduis la frise en lui faisant subir les translations demandées. Le point de départ est marqué par la lettre A.

a) 8 cases vers le haut

b) 10 cases vers la gauche

c) 5 cases vers le bas

d) 17 cases vers la droite

e) 12 cases vers le bas

f) 9 cases vers la gauche

g) 4 cases vers le bas

h) 11 cases vers la droite

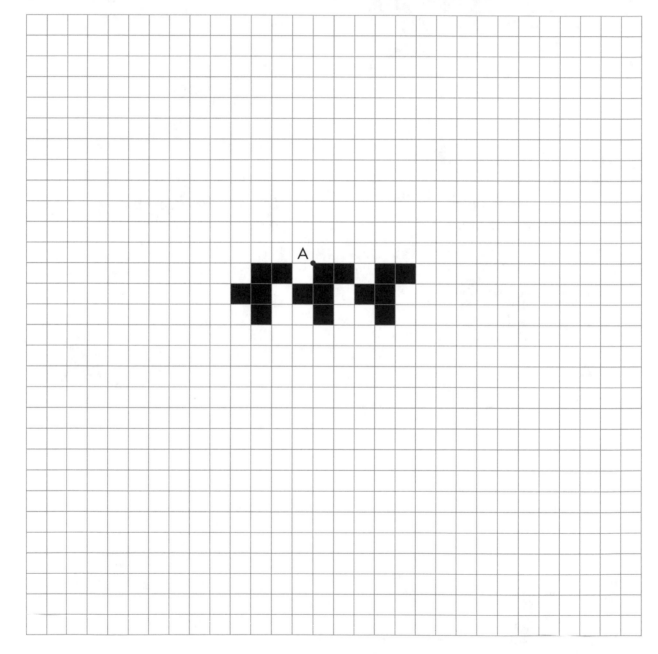

Exercices

2. Reproduis la figure par translation à l'aide de papier à tracer, et ce, en respectant les consignes et en marquant les coordonnées d'arrivée à chaque étape.

À partir du point marqué d'un A, effectue une translation de 6,5 cm vers 6 h, puis marque le point d'arrivée d'un B; à partir du point marqué d'un B, effectue une translation de 8 cm vers 3 h, puis marque le point d'arrivée d'un C; à partir du point marqué d'un C, effectue une translation de 4 cm vers 12 h, puis marque le point d'arrivée d'un D; à partir du point marqué d'un D, effectue une translation de 4,5 cm vers 9 h.

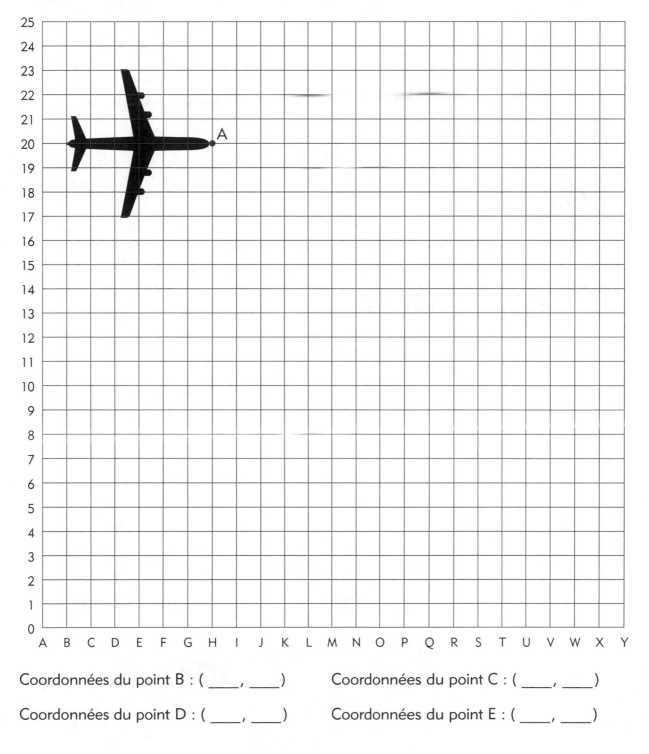

Coordonnées du point B : (____ , ____)   Coordonnées du point C : (____ , ____)

Coordonnées du point D : (____ , ____)   Coordonnées du point E : (____ , ____)

Exercices

1. **Reproduis les frises par translation à partir du point marqué de la lettre A, et ce, en utilisant du papier calque.**

a) 8,5 cm et 15 ° vers le sud-ouest

b) 7 cm et 10 ° vers le nord-est

2. **Reproduis le dallage par translation à partir du point marqué de la lettre A, et ce, en utilisant du papier calque.**

Consigne : 6,5 cm et 40 ° vers le nord-ouest; 4 cm et 60 ° vers le sud-ouest

Test

1. **Reproduis par translation la frise à partir du point marqué de la lettre A, et ce, à l'aide de papier calque. Marque chaque point subséquent de la lettre suivante.**

    - Translation de 7 cm vers 14 h (point B)
    - Translation de 11 cm vers 9 h (point C)
    - Translation de 5,5 cm vers 13 h (point D)
    - Translation de 12,5 cm vers 6 h (point E)
    - Translation de 4,5 cm vers 11 h (point F)

2. Reproduis par translation le dallage à partir du point marqué de la lettre A, et ce, à l'aide de papier calque. Marque chaque point subséquent de la lettre suivante.

- Translation de 6 cm vers 16 h (point B)
- Translation de 5 cm vers 8 h (point C)
- Translation de 7,5 cm vers 17 h (point D)
- Translation de 10 cm vers 13 h (point E)
- Translation de 6 cm vers 6 h (point F)

Exercices

1. Compare les différentes mesures à l'aide des symboles <, > ou =.

a) 78,5 dm _____ 758 cm   b) 73 cm _____ 37 dm

c) 3,64 km _____ 3640 m   d) 0,45 m _____ 449 mm

e) 692 mm _____ 7 dm   f) 3,88 m _____ 402 cm

g) 45,3 m _____ 4524 cm   h) 2,36 km _____ 23,6 dm

i) 57,9 cm _____ 579 mm   j) 942,4 m _____ 981 dm

k) 8760 m _____ 8,67 km   l) 72 cm _____ 0,03 km

2. Place les mesures dans l'ordre croissant.

7,342 m	32,45 cm	543,2 mm	45,23 dm	243,5 m	2,453 km
37,24 cm	7243 mm	723,4 cm	253,4 dm	3,524 km	43,25 m
25,34 dm	27,53 cm	2374 mm	4,235 km	3542 m	7324 dm

_____

_____

3. Mesure les couleuvres ci-dessous en portant une attention particulière à l'unité de mesure.

a) Réponse : _____ dm

b) Réponse : _____ mm

c) Réponse : _____ m

d) Réponse : _____ cm

e) Réponse : _____ dm

f) Réponse : _____ m

Test

1. **Complète le tableau en effectuant les opérations demandées. Transforme toutes tes réponses en centimètres et en les arrondissant au dixième près.**

	+ 179 mm	– 0,08 m	+ 4,5 cm	x 7	÷ 4
5,36 m					
97,4 dm					
8208 mm					
678,3 cm					
10 m					

2. **Un artisan spécialisé dans la fabrication de vitraux assemble les pièces d'un vitrail destiné à l'église de la paroisse. Observe la figure ci-dessous, puis réponds aux questions en t'aidant des indices.**

- L'un des côtés de la figure A mesure 10,8 dm.

- Les côtés de la figure B mesurent respectivement 126 cm et 5,4 dm.

- L'un des côtés de la figure C mesure 0,72 m.

a) Quel est le périmètre de la figure A ? Donne ta réponse en décimètres. _____

b) Quel est le périmètre de la figure B ? Donne ta réponse en centimètres. _____

c) Quel est le périmètre de la figure C ? Donne ta réponse en millimètres. _____

d) Quel est le périmètre de la figure D ? Donne ta réponse en décimètres. _____

e) Quel est le périmètre du vitrail ? Donne ta réponse en mètres. _____

Exercices

3. **Avec ta règle, trace le trajet parcouru par le bernard-l'ermite pour découvrir dans quel coquillage il va élire domicile. Colorie ensuite ce coquillage en orangé.**

1. Avance de 7 cm vers le nord.
2. Avance de 53 mm vers l'ouest.
3. Avance de 0,37 dm vers le sud.
4. Avance de 30 mm vers l'est.

5. Avance de 0,8 dm vers le sud.
6. Avance de 5 cm vers l'est.
7. Avance de 1,42 dm vers le nord.
8. Avance de 40 mm vers l'est.

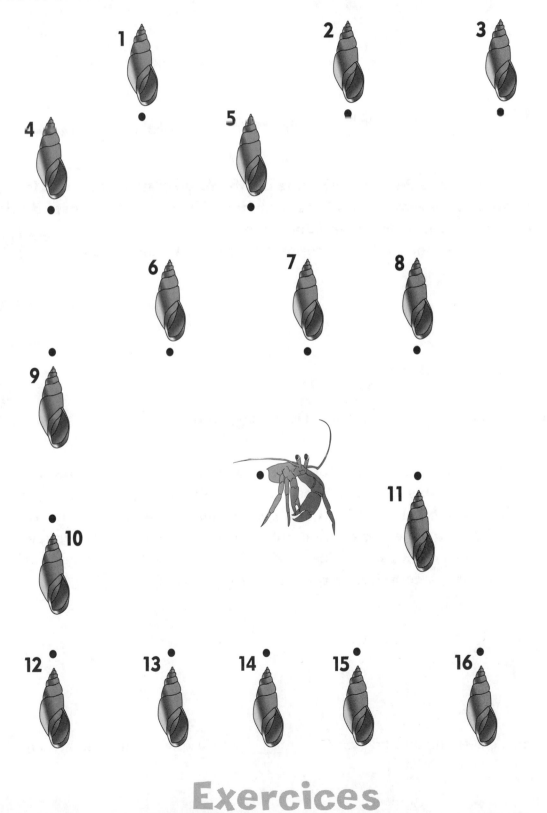

1. Des spéléologues visitent une grotte dans laquelle on a découvert des fresques peintes sur les parois par des hommes de Cro-Magnon. Pour y parvenir, les spéléologues doivent franchir quelques galeries souterraines aux dimensions variables : 287 dm; 54,6 m; 3695 cm; 0,073 km. Quelle distance totale doivent-ils franchir pour se rendre aux fresques ? Attention aux unités de mesure.

   Démarche :

   Réponse : Les spéléologues doivent franchir une distance totale de _____ m.

2. La Lune orbite à une distance moyenne de 381 650 km de la Terre. Si la distance qui sépare Moscou, en Russie, et Hong Kong, en Chine, est 53 fois plus courte que celle séparant la Lune de la Terre, quelle est la distance entre ces deux villes ? Arrondis ta réponse à l'unité près.

   Démarche :

   Réponse : La distance entre Moscou et Hong Kong est d'environ _____ km.

3. Un éleveur de bétail de l'Ouest canadien veut clôturer son ranch afin d'y faire paître ses vaches. Tous les 2,2 mètres, il plante un poteau qu'il relie au précédent à l'aide d'une broche électrifiée. Il doit placer une broche à 25 cm du sol et une autre à 14,7 dm du sol entre chaque poteau afin d'empêcher son troupeau de prendre la clé des champs. Si l'éleveur de bétail a utilisé 8646 m de broche pour clôturer son champ, combien de poteaux a-t-il plantés ?

   Démarche :

   Réponse : L'éleveur de bétail a planté _____ poteaux pour clôturer son champ.

Test

1. Place chacune des mesures de longueur dans la bonne colonne.

462 cm	1174 mm	43,7 dm	6,8 cm	13,3 m	987 cm
71,6 dm	498 cm	914 mm	126 dm	725 mm	2,6 m
1349 cm	5 m	9,5 m	389 cm	6,35 m	8437 mm

Entre 0 dm et 45 dm	Entre 46 dm et 90 dm	Entre 91 dm et 135 dm

2. Additionne et soustrais les mesures de longueur en tenant compte des unités de mesure.

a)   47 dm + 26 m = _____ cm   b)   8 dm – 57 cm = _____ m

c)   15,8 dm + 33,6 cm = _____ mm   d)   784 m – 0,65 km = _____ cm

e)   537 cm – 4,86 m = _____ dm   f)   3,645 m + 488 mm = _____ dm

g) 62 564 mm – 17,5 m = _____ cm   h) 9,32 dm + 0,756 m = _____ mm

3. Multiplie et divise les mesures de longueur en tenant compte des unités de mesure.

a)   87 dm x 6 = _____ m   b) 4482 mm ÷ 6 = _____ cm

c)   39,2 cm ÷ 7 = _____ mm   d)   53 mm x 27 = _____ dm

e)   746 m x 48 = _____ km   f) 9765 cm ÷ 5 = _____ dm

g) 0,568 km ÷ 8 = _____ cm   h) 4928 cm x 34 = _____ m

Exercices

4. Relie les 20 points dans l'ordre décroissant afin de découvrir ce que la concierge doit remplacer pour que les locataires de l'immeuble évitent de se blesser.

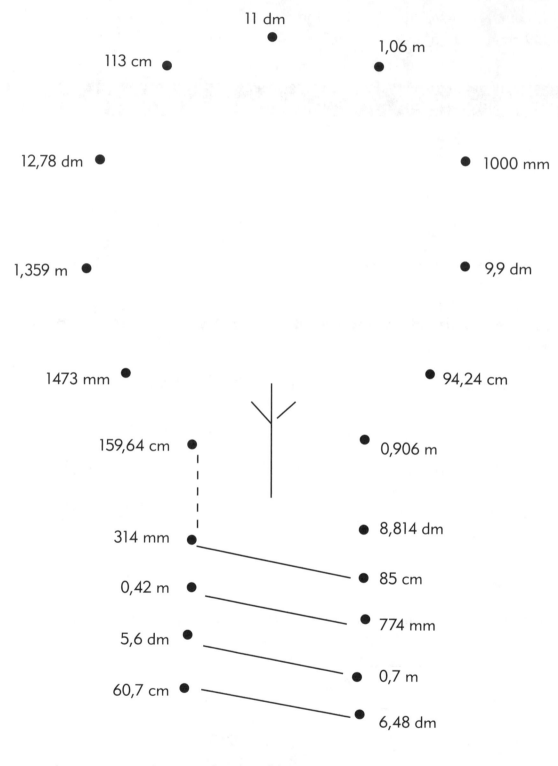

11 dm

1,06 m

113 cm

12,78 dm   1000 mm

1,359 m   9,9 dm

1473 mm   94,24 cm

159,64 cm   0,906 m

314 mm   8,814 dm

0,42 m   85 cm

5,6 dm   774 mm

60,7 cm   0,7 m

6,48 dm

Réponse : La concierge doit remplacer un(e) _____.

1. **Du Moyen Âge jusqu'au milieu du 20e siècle, les bâtisseurs d'églises et de cathédrales construisaient souvent ces lieux de culte selon un plan en forme de « T », rappelant ainsi la croix, symbole de la foi chrétienne. Si le plan consiste en 1 rectangle dont l'un des côtés mesure 36,8 m et qu'un autre mesure exactement la moitié, ainsi que 2 carrés dont l'un des côtés mesure 5,7 m, trouve la mesure de la surface de l'édifice.**

Démarche :

Réponse : La mesure de la surface de l'édifice est de _____ m^2.

2. **Le cerf-volant de Mathilde est en forme de losange composé de 4 triangles rectangles. Les 2 côtés formant l'angle de 90 ° de chacun des 2 triangles rectangles du haut mesurent respectivement 25 cm et 0,39 m. Ceux formant l'angle de 90 ° de chacun des 2 triangles rectangles du bas mesurent respectivement 2,5 dm et 53 cm. Trouve la mesure de la surface du cerf-volant de Mathilde. Attention aux unités de mesure.**

Démarche :

Réponse : La mesure de la surface du cerf-volant de Mathilde est de _____ cm^2.

3. **Au port de la ville, un cargo transportant des conteneurs aux dimensions variées décharge sa cargaison sur un quai en forme de rectangle dont l'un des côtés mesure 45 m et un autre 77 m. La grue du port débarde les conteneurs sur le quai en les empilant à raison de 5 conteneurs par empilage. Si la cargaison du cargo compte 135 conteneurs en forme de rectangle dont l'un des côtés mesure 3 m et un autre 6 m, ainsi que 220 conteneurs en forme de carré dont l'un des côtés mesure 4,5 m, trouve la mesure de la surface de la portion du quai qui n'est pas occupée par la cargaison du cargo.**

Démarche :

Réponse : La mesure de la surface de la portion du quai qui n'est pas occupée par la cargaison du cargo est de _____ m^2.

Test

1. À partir des indices, calcule l'aire des figures ci-dessous.

a)

$\overline{AB}$ = 28 cm $\overline{BC}$ = 16 cm $\overline{CD}$ = 8 cm
$\overline{DE}$ = 12 cm $\overline{FG}$ = 8 cm $\overline{GH}$ = 12 cm
$\overline{HI}$ = 8 cm

Aire : _____ cm²

b)

$\overline{BC}$ = 18 dm $\overline{CD}$ = 15 dm $\overline{DE}$ = 3 dm
$\overline{EF}$ = 15 dm $\overline{HI}$ = 9 dm $\overline{IJ}$ = 12 dm
$\overline{JA}$ = 3 dm

Aire : _____ dm²

c)

$\overline{CD}$ = 18 m $\overline{DE}$ = 45 m $\overline{EF}$ = 18 m
$\overline{GH}$ = 36 m $\overline{HA}$ = 36 m

Aire : _____ m²

d)

$\overline{AB}$ = 30 mm $\overline{DE}$ = 42 mm $\overline{EF}$ = 30 mm
$\overline{FG}$ = 12 mm $\overline{GH}$ = 18 mm $\overline{HI}$ = 24 mm
$\overline{IJ}$ = 24 mm $\overline{JA}$ = 18 mm

Aire : _____ mm²

e)

$\overline{AB}$ = 56 dm $\overline{BC}$ = 28 dm $\overline{CD}$ = 28 dm
$\overline{FA}$ = 49 dm

Aire : _____ dm²

f)

$\overline{AB}$ = 32 cm $\overline{DE}$ = 48 cm $\overline{EF}$ = 16 cm
$\overline{FG}$ = 24 cm $\overline{GH}$ = 24 cm $\overline{HA}$ = 40 cm

Aire : _____ cm²

g)

$\overline{AB}$ = 30 mm $\overline{BC}$ = 30 mm $\overline{CD}$ = 10 mm
$\overline{DE}$ = 15 mm $\overline{GH}$ = 20 mm

Aire : _____ mm²

h)

$\overline{AB}$ = 12 m $\overline{BC}$ = 6 m $\overline{CD}$ = 10 m
$\overline{DE}$ = 4 m $\overline{EF}$ = 6 m $\overline{FG}$ = 8 m
$\overline{GH}$ = 14 m $\overline{HI}$ = 6 m $\overline{IJ}$ = 6 m
$\overline{JK}$ = 8 m $\overline{KL}$ = 4 m $\overline{LA}$ = 4m

Aire : _____ m²

Exercices

2. Mesure la surface des terrains associés à différents sports.

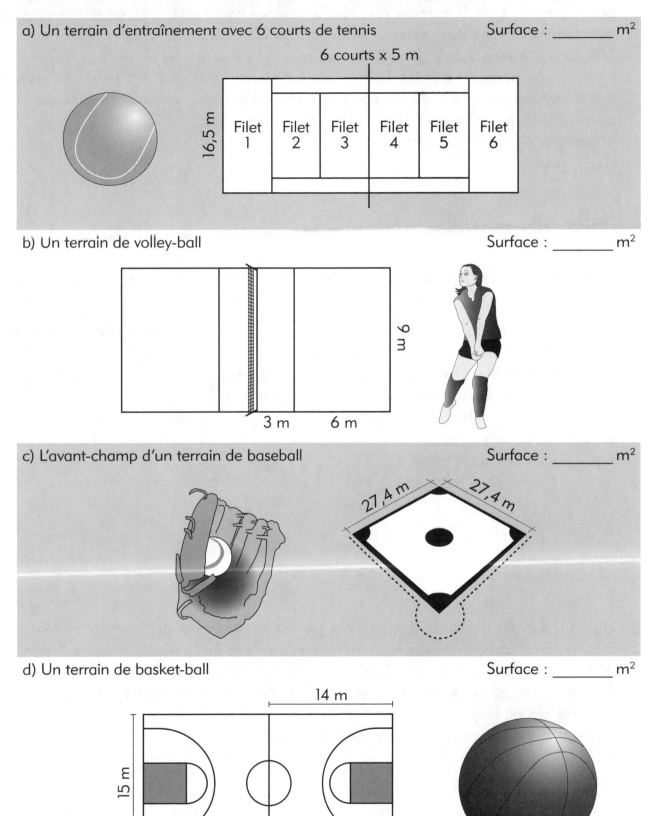

a) Un terrain d'entraînement avec 6 courts de tennis   Surface : _____ m²

6 courts x 5 m

16,5 m

| Filet 1 | Filet 2 | Filet 3 | Filet 4 | Filet 5 | Filet 6 |

b) Un terrain de volley-ball   Surface : _____ m²

9 m

3 m   6 m

c) L'avant-champ d'un terrain de baseball   Surface : _____ m²

27,4 m   27,4 m

d) Un terrain de basket-ball   Surface : _____ m²

14 m

15 m

14 m

Exercices

1. **Le football américain est un sport qui demande vitesse et robustesse de la part des joueurs. Aussi, le terrain respecte certaines conventions en ce qui concerne le marquage et les dimensions. Si un terrain de football américain mesure 109,73 m de long sur 48,8 m de large, et que la mesure de la surface de la portion non occupée par les 100 verges est d'environ 888,2 m², trouve la mesure de la surface de la portion occupée par les 100 verges. Arrondis ta réponse au centième près. Pour t'aider à résoudre ce problème, observe le diagramme ci-contre.**

   100 verges

   Démarche :

   Réponse : La mesure de la surface de la portion occupée par les 100 verges est de _____ m².

2. **Une forêt en forme de « U » est composée de 3 sections rectangulaires. L'un des côtés de la première section mesure 18,6 km et l'autre, exactement le $\frac{1}{3}$. L'un des côtés de la deuxième section mesure 38,8 km et l'autre, exactement le $\frac{3}{4}$. Enfin, l'un des côtés de la troisième section mesure 22,3 km et l'autre, exactement le $\frac{2}{5}$. Trouve la mesure de la surface de la forêt. Arrondis ta réponse au dixième près.**

   Démarche :

   Réponse : La mesure de la surface de la forêt est de _____ km².

3. **Un couvreur de tapis est appelé chez les Térieur pour refaire les pièces de l'étage, en l'occurrence les chambres. La chambre des parents mesure 5,8 m de long sur 32 dm de large. Celle de la fille aînée mesure 490 cm de long sur 37 dm de large. Enfin, celle des jumeaux Alain et Alex mesure 6,4 m de long sur 405 cm de large. Trouve la mesure de la surface de tapis que le couvreur devra installer. Attention aux unités de mesure.**

   Démarche :

   Réponse : La mesure de la surface de tapis que le couvreur devra installer est de _____ dm².

1. **À partir des indices, calcule l'aire des figures ci-dessous. Attention aux unités de mesure.**

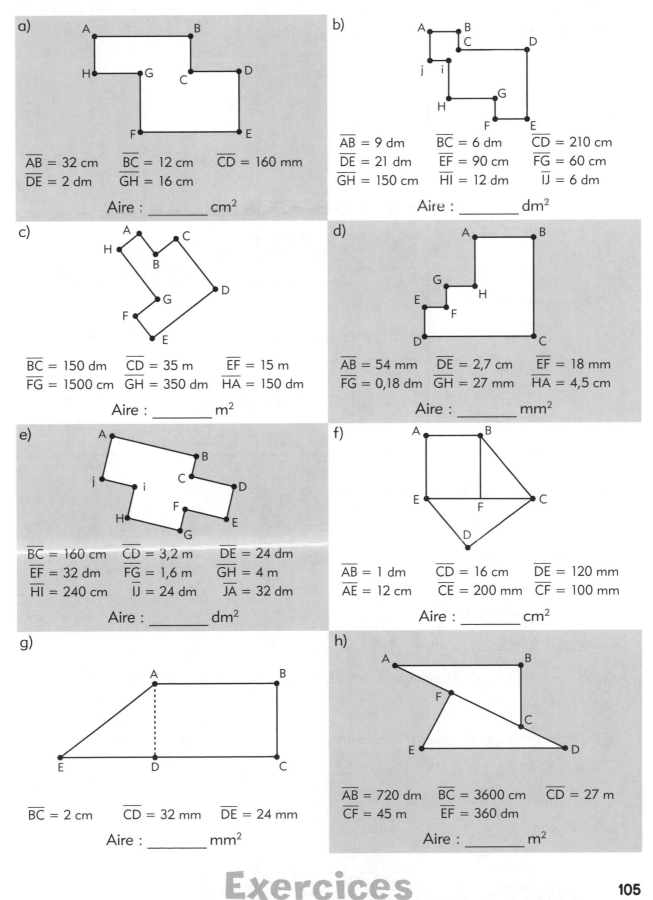

a)

$\overline{AB}$ = 32 cm $\overline{BC}$ = 12 cm $\overline{CD}$ = 160 mm

$\overline{DE}$ = 2 dm $\overline{GH}$ = 16 cm

Aire : _____ cm²

b)

$\overline{AB}$ = 9 dm $\overline{BC}$ = 6 dm $\overline{CD}$ = 210 cm

$\overline{DE}$ = 21 dm $\overline{EF}$ = 90 cm $\overline{FG}$ = 60 cm

$\overline{GH}$ = 150 cm $\overline{HI}$ = 12 dm $\overline{IJ}$ = 6 dm

Aire : _____ dm²

c)

$\overline{BC}$ = 150 dm $\overline{CD}$ = 35 m $\overline{EF}$ = 15 m

$\overline{FG}$ = 1500 cm $\overline{GH}$ = 350 dm $\overline{HA}$ = 150 dm

Aire : _____ m²

d)

$\overline{AB}$ = 54 mm $\overline{DE}$ = 2,7 cm $\overline{EF}$ = 18 mm

$\overline{FG}$ = 0,18 dm $\overline{GH}$ = 27 mm $\overline{HA}$ = 4,5 cm

Aire : _____ mm²

e)

$\overline{BC}$ = 160 cm $\overline{CD}$ = 3,2 m $\overline{DE}$ = 24 dm

$\overline{EF}$ = 32 dm $\overline{FG}$ = 1,6 m $\overline{GH}$ = 4 m

$\overline{HI}$ = 240 cm $\overline{IJ}$ = 24 dm $\overline{JA}$ = 32 dm

Aire : _____ dm²

f)

$\overline{AB}$ = 1 dm $\overline{CD}$ = 16 cm $\overline{DE}$ = 120 mm

$\overline{AE}$ = 12 cm $\overline{CE}$ = 200 mm $\overline{CF}$ = 100 mm

Aire : _____ cm²

g)

$\overline{BC}$ = 2 cm $\overline{CD}$ = 32 mm $\overline{DE}$ = 24 mm

Aire : _____ mm²

h)

$\overline{AB}$ = 720 dm $\overline{BC}$ = 3600 cm $\overline{CD}$ = 27 m

$\overline{CF}$ = 45 m $\overline{EF}$ = 360 dm

Aire : _____ m²

Exercices

2. **Cécile se rend à son grand magasin préféré pour acheter divers articles en solde. Observe le plan du magasin et des rayons, puis mesure le périmètre et l'aire des rayons demandés en utilisant ta règle et en respectant l'échelle. Arrondis tes réponses à l'ordre des dixièmes.**

Vêtements pour enfants

Vêtements pour dames

Vêtements pour hommes

**Échelle :
1 cm = 4,5 m**

Accessoires électroniques

Literie

Cosmétiques

Jouets et articles pour poupons

Mobilier et luminaires

Artisanat, bricolage et jardinage

Souliers et sacs à main

a) Le rayon des vêtements pour hommes

Périmètre : _____ m   Aire : _____ m²

b) Le rayon des accessoires électroniques

Périmètre : _____ m   Aire : _____ m²

c) Le rayon de la literie

Périmètre : _____ m   Aire : _____ m²

d) Le rayon des vêtements pour dames ET du mobilier et des luminaires

Périmètre : _____ m   Aire : _____ m²

e) Le rayon des cosmétiques ET de l'artisanat, du bricolage et du jardinage

Périmètre : _____ m   Aire : _____ m²

f) Le grand magasin au grand complet

Périmètre : _____ m   Aire : _____ m²

Exercices

1. **Une marmotte s'est creusé une galerie dans le sol qui mène à une antichambre dans laquelle le rongeur entasse ses provisions. Si cette pièce mesure 58 cm de long, 36 cm de large et 29 cm de profond, quel volume de provisions la marmotte peut-elle y entasser ?**

   Démarche :

   Réponse : La marmotte peut y entasser un volume de provisions de _____ cm^3.

2. **Les châteaux d'eau sont d'immenses réservoirs d'eau surélevés. Un village pittoresque de la région des Laurentides est approvisionné en eau grâce à 4 châteaux d'eau. Le premier mesure 8,2 m de haut, 3,3 m de large et 5,25 m de profond. Le deuxième mesure 7,82 m de haut, 4,6 m de large et 5 m de profond. Le troisième et le quatrième sont d'égales dimensions, soit 6,4 m de haut, 2,8 m de large et 2,7 m de profond. Quel volume d'eau les 4 réservoirs contiennent-ils ensemble ? Arrondis ta réponse au dixième près.**

   Démarche :

   Réponse : Les 4 réservoirs contiennent ensemble un volume d'eau _____ m^3.

3. **Sébastien range des boîtes de revues dans une armoire. Si l'armoire mesure 25 dm de haut, 17 dm de large et 6 dm de profond, et que chaque boîte mesure 5 dm de haut, 2 dm de large et 2,5 dm de profond, combien de boîtes de revues Sébastien peut-il ranger dans l'armoire ?**

   Démarche :

   Réponse : Sébastien peut ranger _____ boîtes de revues dans l'armoire.

Test

1. À partir des indices, calcule le volume des figures ci-dessous.

a)
27,5 cm
22 cm
27,5 cm
16,5 cm
38,5 cm

Volume : _____ cm³

b)
42 mm
25,2 mm
16,8 mm
12,6 mm
21 mm
12,6 mm

Volume : _____ mm³

c)
28,8 dm
21,6 dm
28,8 dm
14,4 dm
10,8 dm

Volume : _____ dm³

d)
120 m
30 m
40 m
50 m
50 m
20 m
30 m
60 m
60 m
60 m

Volume : _____ m³

e)
20 cm
15 cm
10 cm
20 cm
10 cm
10 cm
45 cm
30 cm
15 cm
20 cm

Volume : _____ cm³

f)
44 dm
12 dm
16 dm
32 dm
12 dm
16 dm
12 dm

Volume : _____ dm³

g)
28 m
21 m
35 m
21 m
14 m
28 m
63 m
21 m

Volume : _____ m³

h)
42 mm
12 mm
30 mm
24 mm
18 mm
24 mm
24 mm
12 mm
24 mm
36 mm
18 mm

Volume : _____ mm³

2. Résous les problèmes en laissant des traces de tes calculs.

a) Quelle est la longueur d'un prisme à base rectangulaire si son volume est de 1620 cm³, et qu'il mesure 12 cm de large et 9 cm de haut?

Démarche :	Solution :

b) Quelle est la largeur d'un prisme à base rectangulaire si son volume est de 2576 dm³, et qu'il mesure 23 dm de long et 7 dm de haut?

Démarche :	Solution :

c) Quelle est la hauteur d'un prisme à base rectangulaire si son volume est de 12 960 mm³, et qu'il mesure 36 mm de long et 24 mm de large?

Démarche :	Solution :

d) Quel est le volume d'un prisme à base rectangulaire si sa longueur est de 47 cm, sa largeur est de 28 cm et sa hauteur est de 6 cm?

Démarche :	Solution :

e) Quelle est la largeur d'un prisme à base rectangulaire si son volume est de 28 800 mm³, et qu'il mesure 72 mm de long et que sa hauteur est 9 fois plus petite que sa longueur?

Démarche :	Solution :

1. **Un agriculteur entrepose des ballots de foin dans une grange qui mesure 65 m de long, 28 m de large et 6 m de haut. Si chaque ballot mesure 2,5 m de long, 1,6 m de large et 1,25 m de haut, combien l'agriculteur peut-il en entreposer dans sa grange?**

   Démarche :

   Réponse : L'agriculteur peut entreposer _____ ballots de foin dans sa grange.

2. **La soute à bagages d'un avion mesure 80 dm de long, 4,5 m de large et 230 cm de haut. Quel est le volume de la cabine touriste (partie réservée aux passagers) de cet avion s'il est 14 fois plus volumineux que la soute à bagages? Attention aux unités de mesure.**

   Démarche :

   Réponse : Le volume de la cabine touriste de l'avion est de _____ m^3.

3. **Des camions ramassent la neige poussée par la déneigeuse. Si la benne basculante d'un camion mesure 4,25 m de long, 3,6 m de large et 2,89 m de haut, quel volume de neige 77 camions peuvent-ils transporter en effectuant 5 chargements chacun? Arrondis ta réponse au dixième près. Attention aux unités de mesure.**

   Démarche :

   Réponse : Les 77 camions peuvent transporter un volume de neige de _____ m^3 en 5 chargements.

4. **La baignoire à remous mesure environ 21,8 dm de long, 12,5 dm de large et 6,7 dm de profond. La salle de bain mesure 52 dm de long, 43 dm de large et 25 dm de haut. Stéphanie oublie de fermer le robinet, et l'eau monte dans la salle de bain jusqu'à la hauteur de la baignoire. Quel volume d'eau se retrouve dans la salle de bain en ne comptant pas l'eau qui est dans la baignoire? Arrondis ta réponse à l'unité près.**

   Démarche :

   Réponse : Un volume d'eau de _____ dm^3 se retrouve dans le reste de la salle de bain.

Test

1. À partir des indices, calcule le volume des figures ci-dessous.

a)

Volume : _____ m³

b)

Volume : _____ dm³

c)

Volume : _____ m³

d)

Volume : _____ cm³

e)

Volume : _____ mm³

f)

Volume : _____ dm³

g)

Volume : _____ m³

h)

Volume : _____ cm³

Exercices

2. Résous les problèmes en laissant des traces de tes calculs.

a) Un agent immobilier fait visiter une maison à paliers à des acheteurs potentiels. Ceux-ci remarquent qu'il faut descendre 5 marches pour se rendre de la salle à manger au salon. Si chaque marche de l'escalier mesure 18 cm de haut, 26 cm de profond et 60 cm de large, quel est le volume de l'espace compris sous cet escalier ?

Démarche :	Solution :

b) Charles veut trouver la hauteur d'un édifice du centre-ville. L'édifice est composé de 4 tours rattachées à une tour centrale (à vol d'oiseau, l'édifice ressemble à une croix). Chaque tour a un volume de 12 330 m^3, une largeur de 22,5 m et une profondeur de 13,7 m. Quelle est la hauteur de l'édifice ?

Démarche :	Solution :

c) Alexandrine emballe le cadeau destiné à sa grand-mère dans une boîte en forme de trapèze dont les côtés parallèles mesurent respectivement 24 cm et 36 cm. Si la boîte mesure 32 cm de haut et 48 cm de profond, quel est son volume en décimètres ?

Démarche :	Solution :

d) Juliette prépare des sandwichs pour un pique-nique au parc. Le panier dans lequel elle transporte les aliments a un volume de 81 000 cm^3. Si chaque sandwich qu'elle prépare mesure 15 cm de large, 15 cm de long et 8 cm de haut, combien de sandwichs peut-elle placer dans son panier ?

Démarche :	Solution :

Exercices

1. C'est l'automne et Céline prépare des marinades avec les légumes qu'elle a récoltés. Elle cuit ses condiments dans une énorme marmite. Après la cuisson, elle doit attendre que le tout refroidisse, puis doit le transvider dans des bocaux. Si elle remplit 3 bocaux de 750 ml, 6 bocaux de 625 ml et 7 bocaux de 450 ml, quelle est la capacité en litres de la marmite dans laquelle elle a mijoté ses marinades ? Attention aux unités de mesure.

   Démarche :

   Réponse : La capacité de la marmite est de _____ l.

2. Chaque jour, l'être humain a besoin de remplacer l'eau qu'il perd en buvant au moins 2 litres de liquide. Marc-André ne boit que du lait, l'équivalent de 500 ml, ainsi que de l'eau pour s'hydrater quotidiennement. Combien de litres d'eau Marc-André peut-il boire en une année ? Attention aux unités de mesure.

   Démarche :

   Réponse : Marc-André peut boire _____ l d'eau en une année.

3. Le sommeil de Mélanie est perturbé : le robinet de la salle de bain fuit, et le plombier n'est pas disponible avant la semaine prochaine. Les gouttes qui tombent produisent un bruit agaçant… Aussi, l'eau dégoutte à un rythme de 59 ml chaque heure. Après une semaine, combien de millilitres d'eau auront été ainsi gaspillés ?

   Démarche :

   Réponse : _____ ml d'eau auront été gaspillés après une semaine à cause du robinet qui fuit.

4. Chez le marchand d'herbes et d'épices, Paolo veut acheter 2,7 kg de basilic. Pour mesurer le poids exact, le marchand utilise une balance à plateaux et dépose des poids de métal de 60 g sur l'un des plateaux. Combien de poids de métal le marchand devra-t-il déposer sur le plateau afin d'arriver à la quantité exacte de basilic ?

   Démarche :

   Réponse : Le marchand devra déposer _____ poids de métal sur le plateau.

Test

1. Dans la maison, plusieurs récipients servent à contenir divers liquides.
Calcule la capacité de chaque ensemble en te référant à la légende.
Attention aux unités de mesure.

Légende :

1 glacière = = 45,5 l　　　　1 bidon à essence = = 5 l

1 carton de lait = = 2 l　　　　1 biberon = = 500 ml

1 verre à vin = = 225 ml　　　　1 compte-gouttes = = 2 ml

a) = _____ l

b) = _____ ml

c) = _____ l

d) = _____ l

e) = _____ ml

f) = _____ l

g) = _____ l

h) = _____ ml

Exercices

1. **Daphnée transvide le contenu d'un pot de miel dans un contenant plus hermétique, et ce, à l'aide d'une cuiller à café. Si la cuiller à café peut contenir 15 ml et que Daphnée doit transvider 795 ml de miel, combien de fois devra-t-elle répéter l'exercice ?**

Démarche :

Réponse : Daphnée devra répéter l'exercice _____ fois.

2. **Des camions-citernes approvisionnent les maisons du quartier en mazout pour le chauffage. Si la capacité d'un camion-citerne est de 18 500 litres, et que la moyenne de capacité de chaque citerne domestique est de 2000 litres, combien de camions-citernes faut-il pour approvisionner 37 maisons ?**

Démarche :

Réponse : Il faut _____ camions-citernes pour approvisionner 37 maisons en mazout.

3. **Lorsqu'on tire la chasse d'eau de la toilette, on évacue environ 4500 ml d'eau. Si les habitants d'un village de 836 habitants tirent chacun la chasse d'eau 6 fois pendant la journée, combien de litres d'eau sont acheminés quotidiennement vers l'usine de traitement des eaux usées ?**

Démarche :

Réponse : _____ l d'eau sont acheminés quotidiennement vers l'usine de traitement des eaux usées.

4. **Le koala, le kangourou et le wombat sont des mammifères à poche ventrale qui vivent en Australie. Le koala pèse en moyenne 7,5 kg. Pour sa part, le kangourou peut peser jusqu'à 12 fois le poids du koala. Enfin, le wombat pèse environ la moitié du poids du kangourou. Quel est le poids du kangourou et du wombat ?**

Démarche :

Réponse : Le kangourou pèse environ _____ kg et le wombat, environ _____ kg.

Test

1. Lorsqu'ils partent en excursion, des adeptes du kayak doivent faire du portage pour éviter les cascades. En plus de leur embarcation, ils doivent souvent transporter tout leur attirail. Calcule la masse de chaque ensemble en te référant à la légende. Attention aux unités de mesure.

Légende :

1 kayak = = 24,5 kg   1 veste de flottaison = = 950 g

1 sac à dos = = 8 kg   1 bouée de sauvetage = = 3,63 kg

1 pagaie = = 1200 g   1 glacière = = 12 kg

a) = _____ g

b) = _____ kg

c) = _____ g

d) = _____ kg

e) = _____ g

f) = _____ kg

g) = _____ g

h) = _____ kg

Exercices

1. **En visite chez des amis américains, la mère de Nathan veut faire cuire un gâteau. Mais voilà que le four indique les températures en degrés Fahrenheit plutôt qu'en degrés Celsius. Pour convertir des degrés Celsius en degrés Fahrenheit, elle doit multiplier par 9, diviser par 5 et additionner 32. À quelle température en Fahrenheit doit-elle préchauffer le four si la recette exige une température de cuisson de 205 degrés Celsius? Arrondis ta réponse à la dizaine près.**

   Démarche :

   Réponse : La mère de Nathan doit préchauffer le four à _____ °F.

2. **Même si la Lune est située à peu près à la même distance du Soleil que la Terre, les températures y sont beaucoup moins agréables. En effet, les températures à la surface lunaire peuvent atteindre un maximum de 127 °C lorsque le Soleil est à son zénith, et un minimum de –173 °C lors de la nuit lunaire. Quel est l'écart de température que subit la Lune?**

   Démarche :

   Réponse : L'écart de température que subit la Lune est de _____ °C.

3. **La température moyenne à la surface du Soleil est de 6000 °C. La température interne du corps humain est d'environ 37 °C. Combien de fois la température à la surface du Soleil est-elle plus élevée que celle à l'intérieur du corps humain? Arrondis ta réponse à l'unité près.**

   Démarche :

   Réponse : La température à la surface du Soleil est _____ fois plus élevée que celle à l'intérieur du corps humain.

Test

1. **Colorie en rouge le mercure de chacun des thermomètres ci-dessous selon la température indiquée.**

a) 26 °C   b) –14 °C   d) 5 °C   e) 33 °C

2. **Observe les thermomètres ci-dessous, puis trouve la température annuelle moyenne de la ville de Sherbrooke pour les 6 mois les plus chauds de l'année. Arrondis ta réponse au dixième près.**

mai   juin   juillet   août   septembre   octobre

Réponse : La température annuelle moyenne de la ville de Sherbrooke pour les 6 mois les plus chauds de l'année est de _____ °C.

Exercices

1. **Savais-tu que la température minimale que les scientifiques ont établie est de –273,15 °C ? On appelle ce minimum le *zéro absolu*. Aussi, la température de vaporisation de l'eau est de 99,96 °C. Quel est l'écart entre le zéro absolu et la température de vaporisation de l'eau ?**

   Démarche :

   Réponse : L'écart de température entre le zéro absolu et la température de vaporisation de l'eau est de _____ °C.

2. **À Arequipa au Pérou, les températures mensuelles sont assez constantes. Observe le tableau ci-dessous, puis réponds aux questions.**

	janv.	févr.	mars	avril	mai	juin	juil.	août	sept.	oct.	nov.	déc.
Max.	22	21	24	25	22	22	22	22	23	23	23	23
Min.	9	9	8	7	6	6	5	5	6	6	7	8

   a) Quelle est la température maximale moyenne à Arequipa ? (au dixième près) _____

   b) Quelle est la température minimale moyenne à Arequipa ? (au centième près) _____

   c) Quel est l'écart moyen de température à Arequipa ? (à l'unité près) _____

3. **À Iqaluit, capitale du Nunavut, la température moyenne pour le mois d'avril est de –14 °C. À Winnipeg, capitale du Manitoba, la température moyenne pour le même mois est plus chaude de 18 °C que celle d'Iqaluit. Enfin, à Whitehorse, capitale du Yukon, la température moyenne pour le même mois est plus fraîche de 4 °C que celle de Winnipeg. Quelle est la température moyenne à Whitehorse pour le mois d'avril ?**

   Démarche :

   Réponse : La température moyenne à Whitehorse pour le mois d'avril est de _____ °C.

Test

1. **Les températures mensuelles moyennes des grandes villes canadiennes varient en fonction de divers facteurs : géologie, végétation, hydrographie, altitude, etc. Observe le diagramme à bandes, puis réponds aux questions.**

Températures en °C

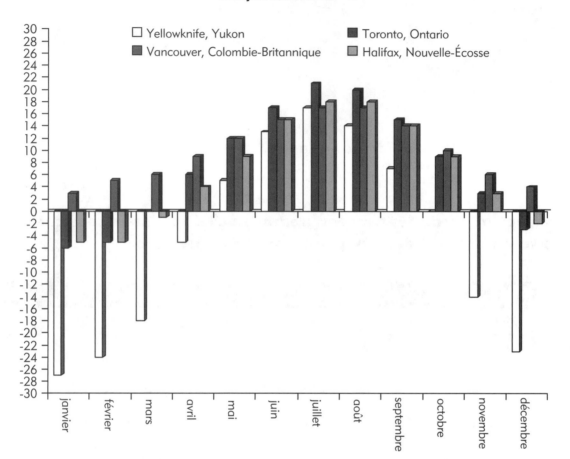

a) Dans quelle ville subit-on les plus grands écarts de température ?

_____

b) Dans quelle ville l'hiver est-il le moins rigoureux ?

_____

c) Quel est l'écart de température entre Toronto et Yellowknife pour le mois de novembre ?

_____

d) Quel est l'écart de température entre Vancouver et Halifax pour le mois de septembre ?

_____

e) Quelle est la température annuelle moyenne à Vancouver ? Arrondis à l'unité près.

_____

Exercices

1. **La consommation énergétique des appareils électroménagers varie selon leurs fonctions et se calcule en kilowattheures (kWh). Observe le diagramme circulaire, puis réponds aux questions. Laisse des traces de tes calculs et arrondis tes réponses à l'unité près.**

Pourcentage de consommation énergétique

Consommation énergétique annuelle :
4254 kWh

a) Combien de kWh le lave-vaisselle consomme-t-il annuellement ?

Réponse : _____ kWh

b) Combien de kWh la bouilloire consomme-t-elle annuellement ?

Réponse : _____ kWh

c) Combien de kWh la laveuse et la sécheuse consomment-elles ensemble annuellement ?

Réponse : _____ kWh

d) Combien de kWh le congélateur consomme-t-il de moins annuellement que le réfrigérateur ?

Réponse : _____ kWh

e) Combien de kWh la cuisinière consomme-t-elle de plus annuellement que le grille-pain ?

Réponse : _____ kWh

Test

2. Le Canada a deux langues officielles : l'anglais et le français. Le français est surtout parlé au Québec, mais certains habitants des autres provinces ou territoires l'utilisent quotidiennement. Observe le tableau ci-dessous, puis réponds aux questions. Laisse des traces de tes calculs.

	Population totale	Francophones
PROVINCES DE L'ATLANTIQUE		
Terre-Neuve-et-Labrador	522 000	2360
Île-du-Prince-Édouard	136 700	5890
Nouvelle-Écosse	932 400	35 380
Nouveau-Brunswick	749 900	239 400
PROVINCES DU CENTRE		
Québec	7 397 000	5 802 020
Ontario	11 897 600	509 265
PROVINCES DE L'OUEST		
Manitoba	1 151 300	45 920
Saskatchewan	1 100 000	18 645
Alberta	3 056 700	62 240
Colombie-Britannique	4 078 400	58 891
TERRITOIRES		
Territoire du Yukon	30 100	945
Territoires du Nord-Ouest	40 800	1000
Nunavut	28 100	400

Données fournies par Statistiques Canada pour l'année 2001

a) Combien de francophones trouve-t-on dans les provinces de l'Atlantique ?

Réponse : _____

b) Combien de francophones trouve-t-on dans les provinces de l'Ouest ?

Réponse : _____

c) Combien d'habitants des territoires ne sont pas francophones ?

Réponse : _____

d) Combien de francophones la Saskatchewan compte-t-elle de moins que l'Alberta ?

Réponse : _____

e) Combien de francophones la Colombie-Britannique compte-t-elle de plus que le Manitoba ?

Réponse : _____

Test

3. Des pêcheurs de crustacés jettent leurs filets chaque jour dans le golf du Saint-Laurent. Le lundi, ils ont attrapé 674 crustacés. Le mardi, ils en ont attrapé 723. Le mercredi, ils en ont attrapé 958. Le jeudi, ils en ont attrapé 46 de plus que le lundi. Le vendredi, ils en ont attrapé 2 fois moins que le mercredi. En moyenne, combien de crustacés les pêcheurs prennent-ils dans leurs filets chaque jour ? Arrondis ta réponse à l'unité près.

Démarche :

Réponse : Les pêcheurs attrapent en moyenne _____ crustacés chaque jour.

4. **Combien existe-t-il de possibilités d'agencer les lettres de chaque mot ? Trouve toutes les combinaisons possibles.**

   a) GÉO   Possibilités :   _____

   Combinaisons :   _____

   _____

   _____

   b) MATH   Possibilités :   _____

   Combinaisons :   _____

   _____

   _____

5. **Ulysse est un conducteur hors pair. Aussi, lorsqu'il se rend au centre-ville, il aime expérimenter de nouveaux itinéraires. À chaque intersection, il doit choisir entre tourner à droite ou à gauche. Si Ulysse croise 5 intersections avant de se rendre à destination...**

   a) Quelle est la probabilité qu'il tourne toujours à gauche ?

   Réponse : _____

   b) Quelle est la probabilité qu'il tourne 2 fois à droite et 3 fois à gauche ?

   Réponse : _____

   c) Quelle est la probabilité qu'il tourne 4 fois à droite et 1 fois à gauche ?

   Réponse : _____

Test

1. **Après avoir payé les comptes, il ne reste souvent plus beaucoup d'argent pour se payer des gâteries. Observe le diagramme circulaire, puis réponds aux questions. Laisse des traces de tes calculs, et arrondis tes réponses à l'unité près.**

Pourcentages des dépenses mensuelles

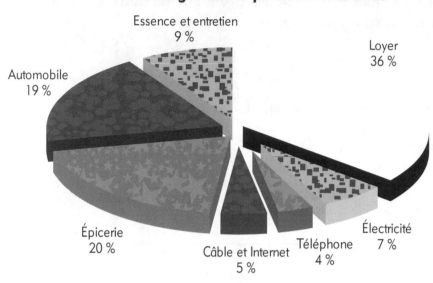

a) Si Claudine gagne un salaire de 37 500 $ par année, combien lui coûte son loyer par mois ?

Réponse : _____ $

b) Si Marcel gagne un salaire de 42 900 $ par année, combien lui coûte son automobile par mois ?

Réponse : _____ $

c) Si Hélène paye 298 $ d'électricité par mois, quel est son salaire annuel ?

Réponse : _____ $

d) Si Emmanuel paye 643 $ d'épicerie par mois, quel est son salaire annuel ?

Réponse : _____ $

e) Si Anne-Marie paye 92 $ par mois de téléphone, combien lui en coûte-t-il de câble et de service Internet ?

Réponse : _____ $

2. La cousine de Sarah entamera sous peu ses études universitaires et devra
    aménager avec l'une de ses copines dans un des appartements de la résidence
    étudiante. Aussi, elle compare les prix de divers articles dont elle aura besoin
    avant de les acheter. Observe le tableau, puis réponds aux questions en laissant
    des traces de tes calculs.

	Magasin A	Magasin B	Magasin C	Magasin D	Magasin E
Vaisselle	35,19 $	24,99 $	18,36 $	37,47 $	28,44 $
Casseroles	78,29 $	64,99 $	69,28 $	72,93 $	57,88 $
Literie	89,75 $	72,99 $	54,77 $	84,54 $	76,33 $
Serviettes	26,37 $	25,99 $	31,55 $	39,82 $	24,77 $
Rideaux	48,54 $	56,99 $	39,96 $	32,39 $	44,44 $
Lampes	38,26 $	35,99 $	18,45 $	24,05 $	39,55 $

a) À combien s'élève la facture au magasin B ?   _____

b) À combien s'élève la facture au magasin E ?   _____

c) À quel magasin fait-on le plus d'économies ?   _____

d) Quel est le prix moyen de la literie ? (au sou près)   _____

e) Quel est le prix moyen des rideaux ? (au dollar près)   _____

f) Quel est le prix moyen d'un article au magasin A ? (au sou près)   _____

Exercices

3. Calcule la moyenne arithmétique de chacun des ensembles de nombres, puis arrondis ta réponse au centième près.

a) 8,7 – 9,4 – 7,8 – 6,9 – 7,3 – 5,6 – 8,5 – 9,2   Moyenne arithmétique : _____

b) 55 – 49 – 63 – 46 – 58 – 70 – 67 – 65 – 54 – 48   Moyenne arithmétique : _____

c) 394 – 437 – 368 – 492 – 385 – 446 – 370 – 423   Moyenne arithmétique : _____

d) 7605 – 7593 – 7642 – 7787 – 7036   Moyenne arithmétique : _____

e) 2,36 – 3,79 – 2,94 – 3,53 – 2,85 – 3,07   Moyenne arithmétique : _____

f) 56,7 – 54,82 – 52,3 – 56 – 53,6 – 51,49   Moyenne arithmétique : _____

4. Dans un questionnaire, on pose 4 questions auxquelles les gens peuvent répondre par oui ou par non.

a) Dans l'encadré, construis le diagramme en arbre de toutes les combinaisons possibles de réponses.

b) Quelle est la probabilité qu'il y ait 2 réponses affirmatives et 2 négatives ?

_____

_____

c) Quelle est la probabilité qu'il y ait 3 réponses affirmatives et 1 négative ?

_____

_____

Exercices

5. Résous les problèmes en laissant des traces de tes calculs.

a) La famille Bolduc compte 7 enfants. Quelle est la probabilité qu'elle soit composée de 2 garçons et de 5 filles ?

Démarche :	Solution :

b) Avec les chiffres 1 à 5, combien de nombres de 3 chiffres peut-on former sans utiliser dans le même nombre deux fois le même chiffre ?

Démarche :	Solution :

c) Des usagers du transport en commun attendent l'autobus : 3 femmes et 1 homme. L'une de ces personnes porte des lunettes, une autre, des gants, et une autre, un chapeau. Quelle est la probabilité que l'homme ne porte aucun de ces accessoires ?

Démarche :	Solution :

d) Quelle est la probabilité de tirer une bille verte dans un sac contenant 15 billes bleues, 9 billes rouges et 8 billes vertes ?

Démarche :	Solution :

6. Les voyages en voiture sont souvent longs et ennuyants. Aussi, les jumeaux Pedro et Ricardo passent le temps en jouant à roche-papier-ciseau. Dans l'encadré ci-dessous, dessine toutes les combinaisons possibles.

7. Anaïs et Éliane tirent à pile ou face pour savoir laquelle d'entre elles pourra monter à bord d'un manège très achalandé. La seule condition pour gagner est d'obtenir au moins 3 fois pile en 5 coups. Quelle est la probabilité d'arriver à un tel résultat ? Tu peux construire un diagramme en arbre pour t'aider.

Exercices

Notes obtenues

1. **Des élèves de 6ᵉ année ont subi l'épreuve d'admission de trois écoles secondaires privées. Observe le diagramme à bandes, puis réponds aux questions. Laisse des traces de tes calculs et arrondis tes réponses à l'unité près.**

a) Quelle est la moyenne arithmétique des résultats obtenus par Victor?

Réponse : _____

b) Quelle est la moyenne arithmétique des résultats obtenus par Geneviève?

Réponse : _____

c) Quelle est la moyenne arithmétique des résultats obtenus à l'école A?

Réponse : _____

d) Quelle est la moyenne arithmétique des résultats obtenus à l'école C?

Réponse : _____

e) Quelle différence y a-t-il entre la moyenne arithmétique des résultats obtenus par Frédéric et celle des résultats obtenus par Dominic?

Réponse : _____

Test

2. Lors du dernier recensement, les **5800** habitants d'une petite ville ont été répartis par tranches d'âges. Observe le diagramme en beignet, puis complète le tableau qui suit.

Pourcentage de population par tranche d'âges

■ 0 à 14 ans
□ 15 à 29 ans
■ 30 à 44 ans
■ 45 à 59 ans
■ 60 à 74 ans
■ 75 ans et +

	0 à 14 ans	15 à 29 ans	30 à 44 ans	45 à 59 ans	60 à 74 ans	75 ans et +
Nombre d'habitants						

3. Une équipe de hockey se compose de **6 joueurs**, dont **3 attaquants**, **2 défenseurs** et **1 gardien de but**. Si **7 joueurs** identifiés de A à G se sont présentés à la période d'entraînement, identifie les **6 combinaisons possibles** dans lesquelles on retrouve le joueur B.

Test

1. **Les aliments que nous absorbons quotidiennement n'ont pas tous la même valeur nutritive. Complète le diagramme à bandes horizontales à partir des données fournies.**

- La mangue contient 62 calories.
- Le cantaloup contient 215 calories de moins que le saumon fumé.
- Les épinards contiennent 37 calories de moins que la mangue.
- Le pain aux raisins contient 245 calories de plus que les épinards.
- Le saumon fumé contient 118 calories de plus que le jambon.
- La gaufre contient 103 calories de plus que le pain aux raisins.
- Le jambon contient 226 calories de moins que la gaufre.
- Le hot-dog contient 190 calories de plus que le bagel nature.
- Le bagel nature contient 153 calories de plus que le yogourt nature.
- Les œufs contiennent 110 calories de plus que le cantaloup.
- Le yogourt nature contient 103 calories de moins que les œufs.
- Le lait 2 % contient 349 calories de moins que le hot-dog.

Exercices

2. **Deux librairies comparent leurs chiffres de ventes hebdomadaires selon des catégories préétablies. Complète le diagramme à ligne brisée à partir des données fournies.**

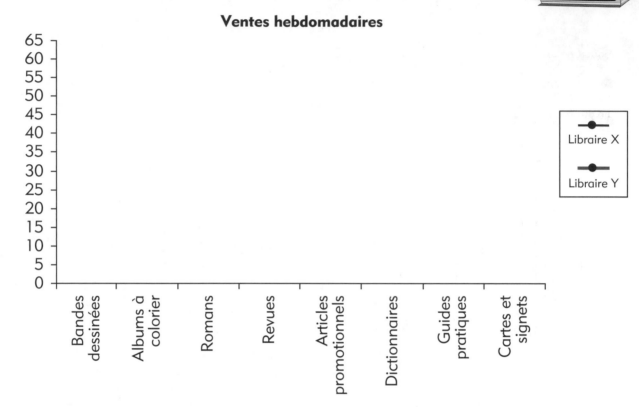

- Le libraire X a vendu 4 bandes dessinées de plus que de dictionnaires.
- Le libraire Y a vendu 28 guides pratiques de plus que de bandes dessinées.
- Le libraire X a vendu 23 guides pratiques de plus que d'albums à colorier.
- Le libraire Y a vendu 36 articles promotionnels de moins que de romans.
- Le libraire X a vendu 59 revues.
- Le libraire Y a vendu 8 dictionnaires de plus que d'articles promotionnels.
- Le libraire X a vendu 34 dictionnaires de moins que de revues.
- Le libraire Y a vendu 9 revues de moins que de guides pratiques.
- Le libraire X a vendu 17 articles promotionnels de moins que de bandes dessinées.
- Le libraire Y a vendu 2 fois moins de cartes et de signets que de revues.
- Le libraire X a vendu 34 albums à colorier de moins que de romans.
- Le libraire Y a vendu 2 albums à colorier de plus que de cartes et de signets.
- Le libraire X a vendu 2 fois plus de cartes et de signets que d'articles promotionnels.
- Le libraire Y a vendu 15 bandes dessinées.
- Le libraire X a vendu 2 fois plus de romans que de cartes et de signets.
- Le libraire Y a vendu 37 romans de plus que d'albums à colorier.

Exercices

3. Les 20ᵉˢ Jeux olympiques d'été se sont déroulés à Athènes, en Grèce, en août 2004, soit 108 ans après la tenue des premiers jeux de l'ère moderne. Observe le diagramme à pyramides des médailles, puis réponds aux questions.

a) Combien de médailles de bronze les athlètes russes ont-ils remportées ?

Réponse : _____

b) Combien de médailles d'argent les athlètes australiens ont-ils remportées ?

Réponse : _____

c) Combien de médailles les athlètes chinois ont-ils remportées ?

Réponse : _____

d) Combien de médailles d'or de moins les athlètes japonais ont-ils remportées comparativement aux athlètes américains ?

Réponse : _____

e) Si la médaille d'or vaut 3 points, celle d'argent vaut 2 points et celle de bronze vaut 1 point, combien de points de plus les athlètes chinois ont-ils cumulés comparativement aux athlètes australiens ?

Réponse : _____

Exercices

4. **Gontran a un surplus de poids et veut s'en débarrasser afin de porter le nouveau pantalon qu'il s'est acheté. Pour ce faire, il doit choisir entre une variété d'aliments, mais disons qu'il ne sait pas toujours faire les bons choix. Fabrique-toi un dé composé de six faces sur lesquelles se retrouvent des images d'aliments (voir le développement ci-dessous). Certains de ces aliments sont bons pour la santé, et d'autres contiennent beaucoup de graisse ou de sucre. Avant de commencer l'exercice, tente de prédire combien de fois tu obtiendras chacun des aliments en 20 essais, ce qui permettra de dire si Gontran maigrira (plus d'aliments sains), maintiendra son poids (autant d'aliments sains que d'aliments malsains) ou prendra davantage de kilos (plus d'aliments malsains).**

Mes prédictions : _____

Lancer	Aliments sains	Aliments malsains
1		
2		
3		
4		
5		
6		
7		
8		
9		
10		
11		
12		
13		
14		
15		
16		
17		
18		
19		
20		

Procède ensuite à l'activité en cochant, pour chaque coup de dé, la case correspondant à la catégorie d'aliments qui a été tirée. À la fin, compte le nombre de crochets pour chaque catégorie, puis vérifie tes prédictions.

Vérifie tes prédictions et coche la case appropriée :

❑ Mes prédictions se sont avérées exactes.

❑ Mes prédictions ne se sont pas avérées exactes, mais je ne suis pas loin de la réalité.

❑ Mes prédictions ne se sont pas avérées exactes, et je suis loin de la réalité.

Exercices

CORRIGÉ

TEST 1
Page 7

1. a) 308 654 b) 992 077 c) 610 229 d) 16 013 e) 463 542 f) 885 371
2. a) 600 b) 900 000 c) 5400 d) 36 400 e) 90 f) 750 000 g) 700 h) 6000
3. a) > b) < c) < d) = e) > f) < g) > h) <
4. 364 007; 370 604; 376 040; 403 670; 403 706; 406 730; 430 076; 470 603; 630 704; 634 070; 637 004; 640 703; 673 040; 700 436; 703 640; 730 064; 736 400; 746 030

Page 8

5. a) MMMXXXII b) MMDCCLXIX c) MDCCCLXXXVII
   d) MMMDCXV e) MMMCCCXXXIII f) MDXXIV
   g) MMCDXCI h) MMMCMVI
6. a) 2 x 2 x 2 x 2 x 2 x 2 x 2 x 2 = 256
   b) 3 x 3 x 3 x 3 x 3 x 3 x 3 = 2187
   c) 4 x 4 x 4 x 4 x 4 x 4 = 4096
   d) 5 x 5 x 5 x 5 = 625
   e) 6 x 6 x 6 x 6 x 6 = 7776
   f) 7 x 7 x 7 x 7 x 7 = 16 807
   g) 8 x 8 x 8 x 8 = 4096
   h) 9 x 9 x 9 x 9 = 6561
7. a) (+5) 23 804, 23 809, 23 814, 23 819
   b) (−8) 45 804, 45 796, 45 788, 45 780
   c) (+7, −4) 62 547, 62 554, 62 550, 62 557
   d) (+6, +3) 34 288, 34 294, 34 297, 34 303
   e) (−9, −3) 69 984, 69 975, 69 972, 69 963
   f) (+1, +2, +3…) 285 476, 285 481, 285 487, 285 494
   g) (−100) 519 289, 519 189, 519 089, 518 989
   h) (+2000) 329 465, 331 465, 333 465, 335 465
   i) (−1000, +500) 878 942, 877 942, 878 442, 877 442
   j) (+11) 458 440, 458 451, 458 462, 458 473

EXERCICES 1
Page 9

1.

	À l'unité de mille près	À la centaine près	À la dizaine près
a) 8^4	4000	4100	4100
b) 3^7	2000	2200	2190
c) 5^5	3000	3100	3130
d) 7^4	2000	2400	2400
e) 6^5	8000	7800	7780

2. a) 2475 b) 3344 c) 731 d) 958 e) 1899 f) 2966
3. 958 420 km; 924 508 km; 905 248 km; 895 024 km; 890 542 km; 854 209 km; 849 502 km; 820 495 km; 598 042 km; 584 209 km; 528 940 km; 520 498 km; 489 052 km; 480 925 km; 428 590 km; 409 852 km; 294 805 km; 259 408 km
4. a) sept cent quarante-huit mille trois cent treize
   b) deux cent seize mille cinq cent soixante-quinze
   c) quatre cent quatre-vingt-dix mille soixante-sept
   d) cinq cent trois mille quatre cent quatre-vingt-douze
   e) huit cent quatre-vingt-huit mille neuf cent trente-six
   f) trois cent vingt-sept mille huit cent cinquante et un
   g) neuf cent mille dix-neuf

Page 10

5. **Nombres coloriés en bleu :** 572 164; 976 521; 573 928; 272 973; 371 594; 278 592; 678 798; 173 589; 975 083; 874 328; 375 394; 371 983; 174 592; 774 518; 370 941; 976 619; 173 336; 374 337; 573 999; 371 592; 276 558; 773 849; 272 924; 571 060; 877 777; 674 553

   Nombres coloriés en rouge : 659 567; 819 340; 459 572; 769 892; 869 364; 289 236; 829 176; 539 587; 959 526; 609 170; 969 306; 689 884; 739 347; 519 651; 529 294; 559 758; 849 342; 289 974; 189 362; 549 007; 689 987; 159 543; 189 834; 129 642; 309 693; 219 536

   Nombres coloriés en vert : 541 498; 298 468; 716 469; 517 469; 163 482; 727 423; 334 428; 645 450; 425 489; 862 499; 952 427; 826 469; 761 460; 605 453; 291 482; 831 458; 963 413; 288 451; 491 469; 835 406

   Nombres coloriés en mauve : 134 115; 608 795; 300 675; 486 135; 326 165; 303 235; 426 545; 464 885; 433 275; 592 525; 454 215; 182 385; 812 825; 943 565; 245 305; 488 045; 425 175; 194 785; 758 135; 926 625; 144 895; 753 245; 562 375

   Le nombre mystère est 713 352.

6. 458 077; 458 079; 458 081; 458 085; 458 087; 458 089; 458 091; 458 095; 458 097; 458 099; 458 101; 458 105; 458 107; 458 109; 458 111; 458 115; 458 117; 458 119; 458 121; 458 125; 458 127; 458 129; 458 131; 458 135
7. 729 990; 729 992; 729 994; 729 996; 730 000; 730 002; 730 004; 730 006; 730 010; 730 012; 730 014; 730 016; 730 020; 730 022; 730 024; 730 026; 730 030; 730 032; 730 034; 730 036; 730 040; 730 042; 730 044; 730 046; 730 050

Page 11

8. a) Règle : +6   76, 82, 88, 94
   b) Règle : x2   400, 800, 1600, 3200
   c) Règle : +13   282, 295, 308, 321
   d) Règle : −50   193, 143, 93, 43
   e) Règle : +6; −2   264, 270, 268, 274
   f) Règle : ÷2   32, 16, 8, 4
9. a) 238 456 b) 68 100 c) 301 049 d) 972 054
   e) 346 083 f) 427 175 g) 860 930 h) 537 443

TEST 1.1
Page 12

1. a) 600 000 + 30 000 + 8000 + 200 + 70 + 4 et 6 c de m + 3 d de m + 8 u de m + 2 c + 7 d + 4 u
   b) 500 000 + 90 000 + 100 + 20 + 8 et 5 c de m + 9 d de m + 1 c + 2 d + 8 u
   c) 800 000 + 20 000 + 4000 + 300 + 30 + 5 et 8 c de m + 2 d de m + 4 u de m + 3 c + 3 d + 5 u
   d) 400 000 + 60 000 + 3000 + 800 + 60 + 2 et 4 c de m + 6 d de m + 3 u de m + 8 c + 6 d + 2 u
   e) 100 000 + 70 000 + 5000 + 400 + 80 + 3 et 1 c de m + 7 d de m + 5 u de m + 4 c + 8 d + 3 u

2.

	À la centaine de mille près	À la dizaine de mille près	À la centaine près	À la dizaine près
a) 374 692	400 000	370 000	374 700	374 690
b) 236 273	200 000	240 000	236 300	236 270
c) 582 439	600 000	580 000	582 400	582 440
d) 908 914	900 000	910 000	908 900	908 910
e) 775 527	800 000	780 000	775 500	775 530

3. a) > b) < c) < d) > e) < f) < g) < h) = i) > j) > k) = l) >

EXERCICES 2
Page 13

1. a) 8 b) 10 c) 12 d) 15 e) 18 f) 11 g) 20 h) 25 i) 17
2. a) Règle : +8   57, 65, 73, 81
   b) Règle : −16   665, 649, 633, 617
   c) Règle : +10, −5   40, 50, 45, 55
   d) Règle : x4, : 2   32, 128, 64, 256
   e) Règle : x3, −10   77, 231, 221, 663
   f) Règle : −250   9000, 8750, 8500, 8250
3. a) 24, 27 b) 20, 23 c) 672, 675 d) 8, 11 e) 728, 731 f) 1518, 1521 g) 30, 33 h) 4798, 4801 i) 12, 15

Page 14

4.

   Réponse :
   L'outil de jardinage qui manque à Edgar est une bêche (ou une pelle).

Page 15

5. L'illustration doit tenir compte des informations suivantes : chêne (128 cm), pin (125 cm), érable (81 cm), peuplier (64 cm), bouleau (49 cm).
6. dauphin clymène (64 kg), calmar géant (216 kg), requin-tigre (729 kg), requin blanc (2401 kg), rorqual à bosse (32 768 kg)
7. Marc et Geneviève possèdent le même nombre de timbres-poste dans leur collection (256).

TEST 2

Page 16

1. a) Encercler 9 fourmis. b) Encercler 8 fourmis. c) Encercler 4 fourmis. d) Encercler 15 fourmis. e) Encercler 12 fourmis. f) Encercler 10 fourmis.

2. a) Colorier 10 autres parties. b) Colorier 7 autres parties. c) Colorier 3 autres parties. d) Colorier 7 autres parties. e) Colorier 10 autres parties. f) Colorier 8 autres parties.

3. a) > b) < c) < d) > e) = f) = g) > h) > i) <

4. $\frac{7}{8}$, $\frac{5}{6}$, $\frac{3}{4}$, $\frac{2}{3}$, $\frac{3}{5}$, $\frac{4}{7}$, $\frac{5}{9}$, $\frac{1}{2}$, $\frac{3}{8}$, $\frac{2}{7}$, $\frac{2}{9}$, $\frac{1}{5}$

Page 17

5. a) $\frac{5}{7}$ b) $\frac{1}{3}$ c) $\frac{4}{5}$ d) $\frac{3}{8}$ e) $\frac{3}{5}$ f) $\frac{3}{5}$

   g) $\frac{2}{3}$ h) $\frac{5}{9}$ i) $\frac{9}{10}$ j) $\frac{1}{5}$ k) $\frac{1}{4}$ l) $\frac{2}{3}$

6. Encercler les fractions suivantes :

$\frac{27}{40}$, $\frac{23}{50}$, $\frac{9}{13}$, $\frac{41}{60}$, $\frac{40}{63}$, $\frac{12}{37}$, $\frac{6}{77}$, $\frac{15}{28}$, $\frac{21}{46}$

7. a) $1\frac{2}{5}$ b) $2\frac{1}{4}$ c) $2\frac{1}{2}$ d) $2\frac{1}{6}$ e) $2\frac{2}{3}$ f) $1\frac{3}{8}$

   g) $1\frac{1}{2}$ h) $1\frac{1}{3}$ i) $1\frac{3}{7}$ j) $4\frac{2}{5}$ k) $3\frac{3}{7}$ l) $8\frac{1}{4}$

8. a) $\frac{1}{4}$ b) $\frac{1}{10}$ c) $\frac{9}{20}$ d) $\frac{3}{5}$ e) $\frac{3}{25}$ f) $\frac{9}{25}$

   g) $\frac{11}{20}$ h) $\frac{18}{25}$ i) $\frac{6}{25}$ j) $\frac{4}{5}$ k) $\frac{16}{25}$ l) $\frac{1}{2}$

9. a) $\frac{21}{56}$ b) $\frac{15}{21}$ c) $\frac{20}{45}$ d) $\frac{6}{15}$ e) $\frac{9}{27}$

EXERCICES 1

Page 18

1.

Les Français ont offert la statue de la Liberté aux Américains à l'occasion du 100ᵉ anniversaire de leur indépendance en tant que nation.

Page 19

2. a) Encercler 24 étoiles. c) Encercler 20 soleils. e) Encercler 18 lunes. b) Encercler 6 nuages. d) Encercler 20 éclairs. f) Encercler 12 arcs-en-ciel.

3. a) $\frac{7}{25}$ b) $\frac{11}{20}$ c) $2\frac{3}{4}$ d) $\frac{8}{25}$ e) $3\frac{7}{10}$ f) $\frac{7}{50}$

   g) $\frac{3}{5}$ h) $\frac{18}{25}$ i) $1\frac{1}{2}$ j) $\frac{2}{5}$ k) $\frac{9}{20}$ l) $\frac{7}{20}$

TEST 2.1

Page 20

1. a) > b) < c) < d) > e) = f) > g) = h) < i) =

2. a) $\frac{1}{3}$ b) $\frac{2}{9}$ c) $\frac{3}{10}$ d) $\frac{9}{22}$ e) $\frac{5}{17}$ f) $\frac{1}{18}$

3. Les grenadiers représentent $\frac{1}{10}$ des arbres et arbustes de l'oasis; les vignes grimpantes, $\frac{1}{6}$; les palmiers dattiers, $\frac{1}{4}$; les figuiers, $\frac{2}{15}$; les oliviers, $\frac{3}{20}$ et les amandiers, $\frac{1}{5}$.

4. Les élèves d'origine canadienne représentent $\frac{3}{28}$ de l'ensemble de la population de l'école; ceux d'origine vietnamienne, $\frac{5}{42}$; ceux d'origine libanaise, $\frac{1}{7}$; ceux d'origine polonaise, $\frac{4}{21}$; ceux d'origine marocaine, $\frac{3}{14}$; ceux d'origine italienne, $\frac{1}{14}$; ceux d'origine colombienne, $\frac{5}{84}$ et ceux d'origine sud-africaine, $\frac{2}{21}$.

EXERCICES 2

Page 21

1. a) $\frac{2}{3}$ b) $\frac{1}{4}$ c) $\frac{3}{5}$ d) $\frac{5}{6}$ e) $\frac{3}{8}$ f) $\frac{4}{9}$ g) $\frac{7}{10}$ h) $\frac{9}{20}$

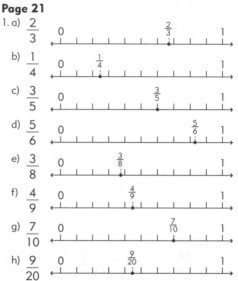

PAGE 22

2. a) $\frac{8}{18}$, $\frac{12}{27}$, $\frac{16}{36}$, $\frac{20}{45}$

   b) $\frac{6}{16}$, $\frac{9}{24}$, $\frac{12}{32}$, $\frac{15}{40}$, $\frac{18}{48}$

   c) $\frac{8}{10}$, $\frac{12}{15}$, $\frac{16}{20}$, $\frac{20}{25}$, $\frac{24}{30}$, $\frac{28}{35}$, $\frac{32}{40}$, $\frac{36}{45}$, $\frac{40}{50}$

   d) $\frac{4}{6}$, $\frac{6}{9}$, $\frac{8}{12}$, $\frac{10}{15}$, $\frac{12}{18}$, $\frac{14}{21}$, $\frac{16}{24}$, $\frac{18}{27}$, $\frac{20}{30}$, $\frac{22}{33}$, $\frac{24}{36}$, $\frac{26}{39}$, $\frac{28}{42}$, $\frac{30}{45}$, $\frac{32}{48}$

   e) $\frac{2}{12}$, $\frac{3}{18}$, $\frac{4}{24}$, $\frac{5}{30}$, $\frac{6}{36}$, $\frac{7}{42}$, $\frac{8}{48}$

   f) $\frac{6}{20}$, $\frac{9}{30}$, $\frac{12}{40}$, $\frac{15}{50}$

   g) $\frac{6}{8}$, $\frac{9}{12}$, $\frac{12}{16}$, $\frac{15}{20}$, $\frac{18}{24}$, $\frac{21}{28}$, $\frac{24}{32}$, $\frac{27}{36}$, $\frac{30}{40}$, $\frac{33}{44}$, $\frac{36}{48}$

   h) $\frac{12}{14}$, $\frac{18}{21}$, $\frac{24}{28}$, $\frac{30}{35}$, $\frac{36}{42}$, $\frac{42}{49}$

3.

Entre 0 % et 25 %		Entre 26 % et 50 %		Entre 51 % et 75 %		Entre 76 % et 100 %		Plus de 100 %	
$\frac{2}{9}$	$\frac{1}{10}$	$\frac{1}{2}$	$\frac{2}{7}$	$\frac{5}{8}$	$\frac{3}{4}$	$\frac{4}{5}$	$\frac{5}{6}$	$\frac{7}{2}$	$1\frac{1}{3}$
$\frac{1}{7}$	$\frac{1}{8}$	$\frac{2}{5}$	$\frac{4}{9}$	$\frac{5}{7}$	$\frac{3}{5}$	$\frac{6}{7}$	$\frac{8}{7}$	$\frac{7}{6}$	$\frac{9}{4}$
$\frac{1}{5}$	$\frac{1}{9}$	$\frac{3}{10}$	$\frac{3}{7}$	$\frac{5}{9}$	$\frac{7}{10}$	$\frac{7}{9}$	$\frac{7}{8}$	$2\frac{2}{5}$	
$\frac{1}{4}$	$\frac{1}{6}$	$\frac{3}{8}$			$\frac{4}{7}$	$\frac{9}{10}$	$\frac{3}{3}$		
							$\frac{6}{6}$		

TEST 3
Page 23

1. 7385,2; 3852,7; 2587,3; 527,83; 527,38; 378,25; 375,82; 328,75; 325,78; 238,57; 237,58; 235,78; 87,523; 87,235; 78,523; 73,582; 72,853; 32,587

2. a) $20\,000 + 8\,000 + 500 + 20 + 9 + \dfrac{7}{10} + \dfrac{6}{100}$

b) $7\,000 + 500 + 80 + 4 + \dfrac{6}{10} + \dfrac{5}{100} + \dfrac{3}{1000}$

c) $400\,000 + 80\,000 + 3000 + 900 + 50 + 1 + \dfrac{8}{10}$

d) $600 + 90 + 2 + \dfrac{2}{10} + \dfrac{9}{100} + \dfrac{6}{1000}$

e) $5000 + 30 + 8 + \dfrac{4}{10} + \dfrac{7}{100}$

3.

Dizaines de mille	Unités de mille	Centaines	Dizaines	Unités	Dixièmes	Centièmes	Millièmes
			3	4	5	7	
		2	5	1	3		
1	9	8	4	7	6	4	
	7	5	8	3	8	0	2
		8	7	7	2	9	
			9	5	6	5	8
	6	4	2	0	8	7	
5	5	4	2	3	4		

4. a) = b) < c) < d) > e) < f) = g) > h) >

Page 24

5. a) 78,8 b) 439,3 c) 8,25 d) 26,625 e) 5,332 f) 35,45 g) 91,048 h) 627,78 i) 74,96

6.

	À l'unité de mille près	À la centaine près	Au dixième près	Au centième près
a)	8876,542	9000	8900	8876,5	8876,54
b)	5429,488	5000	5400	5429,5	5429,49
c)	3570,067	4000	3600	3570,1	3570,07
d)	2468,363	2000	2500	2468,4	2468,36
e)	7532,836	8000	7500	7532,8	7532,84

7. a) 87,33; 88,03; 88,73; 89,43
b) 276,44; 276,35; 276,26; 276,17
c) 39,342; 39,692; 40,042; 40,392
d) 449,33; 446,73; 444,13; 441,53
e) 192,6; 200,6; 200,1; 208,1

8. a) 40 b) 0,08 c) 5,4 d) 580 e) 0,029 f) 16,75 g) 147 h) 1,83 i) 2,3

EXERCICES 1
Page 25

1. a) 543,86 b) 2707,059 c) 48 010,396 d) 5689,243
e) 65 816,74 f) 73 185,346 g) 5854,219 h) 7203,864

2.

Plus petit que 27		Entre 27 et 42		Plus grand que 42	
13,08	23,34	28,5	33,93	42,001	47,333
17,83	25,6	29,784	35,418	43,8	48,37
18,75	26,72	30,006	41,26	44,531	49,077
20,17	26,999	30,09	41,9	46,2	50,06

3. a) 79,4 b) 4,1 c) 534,4 d) 65,5 e) 8,5 f) 930 g) 10,2 h) 36,8

Page 26

4. a) 13,78
b) 545,2
c) 8,653
d) 99,9
e) 27,34
f) 4,005
g) 360,08

Page 27

5. a) 89,62̲4̲ b) 7̲38,55̲ c) 42,13̲6̲ d) 1̲05,2̲3 e) 99,99̲
f) 3̲57,3̲ g) 56,8̲1 h) 8̲34,67̲ i) 0,05̲8̲

6. a) 0,3 b) 0,64 c) 0,79 d) 0,223 e) 0,517 f) 0,33 g) 0,8 h) 0,455

7. 78,11 – 78,12 – 78,13 – 78,14 – 78,15 – 78,16 – 78,17 – 78,18 – 78,19 – 78,2 – 78,21 – 78,22 – 78,23 – 78,24 – 78,25 – 78,26 – 78,27 – 78,28 – 78,29 – 78,3 – 78,31 – 78,32 – 78,33 – 78,34 – 78,35 – 78,36 – 78,37 – 78,38 – 78,39 – 78,4 – 78,41

8. a) 0,43 b) 0,5 c) 0,764 d) 0,62 e) 0,09 f) 3,77 g) 0,087 h) 2,8 i) 0,4

9. 5,471 – 5,472 – 5,473 – 5,474 – 5,475 – 5,476 – 5,477 – 5,478 – 5,479 – 5,48 – 5,481 – 5,482 – 5,483 – 5,484 – 5,485 – 5,486 – 5,487 – 5,488 – 5,489 – 5,49 – 5,491 – 5,492 – 5,493 – 5,494 – 5,495 – 5,496 – 5,497 – 5,498 – 5,499 – 5,5

TEST 3.1
Page 28

1. a) 30 + 8 + 0,5 + 0,06   b) 500 + 90 + 2 + 0,07
c) 4 + 0,9 + 0,03 + 0,001   d) 8000 + 300 + 20 + 9 + 0,4
e) 700 + 20 + 5 + 0,3 + 0,06 + 0,003   f) 6 + 0,7 + 0,02

2. 13,498; 13,849; 14,389; 14,893; 31,498; 31,894; 34,189; 34,891; 139,48; 139,84; 143,89; 143,98; 384,19; 384,91; 439,18; 439,81; 813,49; 843,91; 918,43; 981,34; 8149,3; 8914,3; 9184,3; 9413,8

3. a) $5\dfrac{9}{20}$ b) $23\dfrac{3}{5}$ c) $9\dfrac{7}{8}$ d) $84\dfrac{2}{25}$ e) $370\dfrac{1}{2}$
f) $71\dfrac{3}{20}$ g) $12\dfrac{1}{4}$ h) $6\dfrac{1}{25}$ i) $875\dfrac{3}{10}$

4.

	À la dizaine près	À l'unité près	Au dixième près	Au centième près
a)	4645,728	4650	4646	4645,7	4645,73
b)	2906,453	2910	2906	2906,5	2906,45
c)	7244,551	7240	7245	7244,6	7244,55
d)	6592,877	6590	6593	6592,9	6592,88
e)	3718,236	3720	3718	3718,2	3718,24

EXERCICES 2
Page 29

1.

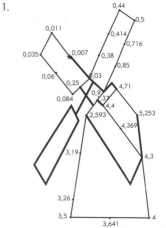

Réponse :
Mélissa a aperçu un moulin à vent lors de son voyage aux Pays-Bas.

Page 30

2.

	5	$\dfrac{4}{10}$	$\dfrac{8}{100}$	$\dfrac{7}{1\,000}$
a)	67,39	72,39	67,79	67,47	67,397
b)	238,645	243,645	239,045	238,725	238,652
c)	94,423	99,423	94,823	94,503	94,43
d)	3875,2	3880,2	3875,6	3875,28	3875,207
e)	71,77	76,77	72,17	71,85	71,777

3. a) 15,05 b) 7,25 c) 21,8 d) 8,45 e) 6,65 f) 13,35 g) 11,95 h) 12,2

4.

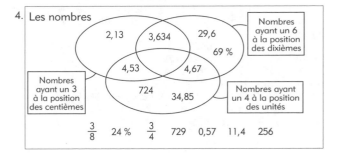

Les nombres

5. a) unités de mille, 3000 b) unités, 8 c) dizaines de mille, 50 000
   d) centaines, 600 e) centaines de mille, 700 000 f) dizaines, 40
6. a) 393,076   b) 644,18   c) 9251,4
   d) 37 022,907   e) 803 650,05   f) 152 017,002
7. a) quatre cent soixante-douze et six centièmes
   b) quatre-vingt-quatre et trois cent quatre-vingt-onze millièmes
   c) six mille trois cent soixante-sept et huit dixièmes
   d) neuf cent cinq et soixante-quatre millièmes
   e) vingt-six mille quatre cent cinquante et un et dix-sept
      centièmes
   f) quarante-cinq mille huit et deux dixièmes

TEST 4
Page 32
1. La température moyenne sur Neptune est de –240 °C, et celle
   sur Mars est de –63 °C.
2. Le sommet du convoyeur est situé à 68 m du sol.
3. Le solde du compte bancaire de l'entreprise est de –2164 $.

EXERCICES 1
Page 33
1. –41, –34, –26, –22, –18, –13, –10, –9, –7, –5, –2, 0, 7, 8, 10, 11,
   14, 25, 29, 33, 34, 45
2. a) –10, –17, –24, –31, –38   b) –29, –26, –23, –20, –17
   c) 0, –4, 1, –3, 2   d) 22, 14, 8, 0, –6
   e) –21, –23, –17, –19, –13   f) –17, –12, –22, –17, –27
3. a) –16 < –12   b) –7 = –7   c) 17 > –15   d) –31 = –31
   e) –4 < 4   f) –12 > –15   g) –28 > –42   h) –6 = –6
Page 34
4. a) 1 b) –2 c) –9 d) 10 e) –5 f) –7 g) 0 h) –11

TEST 4.1
Page 35
1. Le plongeur s'est rendu à la position –479 dm sur la corde.
2. 2705 années séparent ces deux événements.
3. Je parviendrais à destination en l'an –1795 ou 1795 av. J.-C.

EXERCICES 2
Page 36
1. a) Case –41   b) Case –4   c) Case 36   d) Case 3
   e) Case –12   f) Case –8   g) Case –44   h) Case –17

TEST 5
Page 37
1. Le Canada produit 500 000 tonnes de seigle annuellement.
2. 78 200 personnes ne parlent aucune des langues officielles
   au Luxembourg.
3. Le colibri peut effectuer 22 500 battements d'ailes en
   5 minutes.
4. La lumière est 37 500 fois plus rapide que la navette spatiale.
Page 38
5. On compte 1697 poissons dans le bassin principal de la pisciculture.
6. 14 générations se sont succédé depuis l'arrivée des ancêtres
   de Louis.
7. L'encyclopédie de Margaret compte 7488 pages en tout.
8. 140 550 cheveux garnissent toujours le crâne de Hector
   18 semaines après le diagnostic.

EXERCICES 1
Page 39
1. a) 101 271   b) 44 261   c) 68 817   d) 21 807
   e) 584 587   f) 386 574   g) 655 064   h) 665 466
   i) 948 051   j) 57 216   k) 833 843   l) 456 785
2. a) 2237   b) 21 112   c) 745 d) 40 278   e) 268   f) 9675
   g) 124   h) 51 156   i) 132 j) 39 339   k) 456   l) 18 315
Page 40
3. a) 37 x 9 = 333   b) 32 + 30 = 62   c) 149 – 55 = 94
   d) 783 ÷ 27 = 29   e) 47 + 72 – 38 = 81
4. a) (72 ÷ 3) – (4 x 5) = 24 – 20 = 4
   b) 37 + (56 ÷ 7) – 6 = 37 + 8 – 6 = 39
   c) (25 x 9 ÷ 3) + (4 x 7) – 8 = 75 + 28 – 8 = 95
   d) 39 + (49 ÷ 7) + (7 x 4) = 39 + 7 + 28 = 74
   e) 112 – 76 + 13 – (6 x 6) = 49 – 36 = 13

5. a) (6 x 9) – (6 x 4) = 54 – 24 = 30
   b) (9 x 3) + (9 x 8) = 27 + 72 = 99
   c) (8 x 34) – (8 x 19) = 272 – 152 = 120
   d) (3 x 44) + (3 x 37) = 132 + 111 = 243
   e) (5 x 8) + (5 x 5) – (5 x 3) = 40 + 25 – 15 = 50
Page 41
6. a) $3^2 \times 5 \times 7$ b) $2^2 \times 5^2 \times 7$ c) $2^4 \times 3^2 \times 5$ d) $3^4 \times 11$
   e) $5^2 \times 7^2$ f) $2^5 \times 3^2 \times 7$ g) $3^6 \times 5$ h) $2^2 \times 3^2 \times 5^2 \times 7$
Page 42
7. a) 968   b) 1053   c) 1296   d) 16   e) 235   f) 2784
   g) 8811 h) 4   i) 19 206   j) 33 750   k) 4336   l) 4625

TEST 5.1
Page 43
1. Chaque wagon du train de banlieue peut accueillir 67 passagers.
2. Le prix de la fourgonnette d'occasion est de 42 154 $.
3. Le dentiste doit inspecter 87 552 dents dans une année.
4. On compte environ 547 906 cervidés à la grandeur du Québec.
Page 44
5. Le facteur distribue 110 240 items de courrier sur une période
   de 5 ans.
6. La planète Neptune accomplit sa trajectoire autour du Soleil
   en 60 225 jours.
7. On pourrait compter 74 lièvres après 2 ans.
   Explications :
   Année 1 : 2 lièvres matures + (3 portées x 4 levrauts) = 14 lièvres
   Année 2 : (5 couples matures* x 3 portées x 4 levrauts) = 60 lièvres
   * Les 14 lièvres de l'année 1 comptent 10 lièvres matures et 4 levrauts.
8. Il leur manquerait 2872 mètres pour atteindre la hauteur du mont
   Fuji-Yama.

EXERCICES 2
Page 45
1. a) > b) < c) = d) > e) < f) = g) > h) =
2. a) 47 193 b) 224 433 c) 139 014 d) 293 110 e) 4332 f) 8519
3.

	+ 539	– 485	x 6	X 49	÷ 3
744	1283	259	4464	36 456	248
828	1367	343	4968	40 572	276
540	1079	55	3240	26 460	180
672	1211	187	4032	32 928	224
951	1490	466	5706	46 599	317

Page 46
4. a) 508 b) 43 c) 43 860 d) 85 e) 37 312 f) 17 969 g) 75 460 h) 224
5. a) 1296 ÷ 9 = 144   b) 1024 + 64 = 1088   c) 512 ÷ 32 = 16
   d) 243 x 36 = 8748   e) 1000 ÷ 25 = 40   f) 81 x 64 = 5184
   g) 256 ÷ 8 = 32   h) 81 x 49 = 3969   i) 2401 – 625 = 1776
Page 47
6. Colonne 1 :   Colonne 2 :   Colonne 3
   a) 800   a) 6300   a) 93 000
   b) 340   b) 7000   b) 3400
   c) 7600   c) 5490   c) 290
   d) 4290   d) 252 000   d) 48 000
   e) 51 700   e) 7000   e) 37 000
   f) 6000   f) 55 000   f) 6500
   g) 2930   g) 30 000   g) 9000
   h) 820   h) 46 000   h) 7300
   i) 51 000   i) 3640   i) 8800
   j) 78 500   j) 11 000   j) 30 700
7. a) 13 320 b) 353 c) 14 976 d) 263 e) 90 684 f) 61
Page 48
8. a) 549 328 + 276 447 = 825 775
   b) 806 499 – 392 178 = 414 321
   c) 486 x 35 = 17 010
   d) 8892 ÷ 26 = 342
   e) 924 879 + 58 526 = 983 405
   f) 351 645 – 189 999 = 161 646
   g) 793 x 76 = 60 268
   h) 5379 ÷ 33 = 163
   i) 405 070 + 473 859 = 878 929
   j) 748 036 – 297 542 = 450 494
   k) 356 x 60 = 21 360
   l) 9516 ÷ 78 = 122
9. a) 440 b) 53 c) 48 d) 123 e) 320 f) 98 g) 32 h) 195

TEST 6
Page 49
1. Les cyclistes prendront 17,28 jours pour parvenir à destination.
2. Le poids de Julien serait de 11,94 kg sur la Lune et de 171,936 kg sur Jupiter.
   Le poids de Laura serait de 9,38 kg sur la Lune et de 135,12 kg sur Jupiter.
3. Il faudrait ajouter 3425,77 km à la Grande Barrière de Corail.

Page 50
4. a) Il lui en coûtera 8103,70 $ pour s'équiper.
   b) Les gants lui auront coûté 215,04 $ après 2 ans.

EXERCICES 1
Page 51
1. a) 909,91 b) 463,307 c) 1560,593 d) 522,096 e) 555,29 f) 798,11
2. a) 3155,521 b) 632,87 c) 82,523 d) 823,711 e) 533,476
   f) 33,903
3. a) 419,52 b) 21,315 c) 100,998 d) 380,398 e) 1563,32 f) 3959,37
4. a) 39,7 b) 83,47 c) 72,425 d) 349,334 e) 994,57 f) 610,69

Page 52
5. Colonne 1   Colonne 2   Colonne 3
   a) 7,005   a) 364,3   a) 0,937
   b) 24 640   b) 5,547   b) 269,2
   c) 0,83   c) 72,649   c) 6,8
   d) 9453   d) 450   d) 0,872
   e) 68,14   e) 394,4   e) 0,645
   f) 3672,9   f) 0,026   f) 307
   g) 0,255   g) 100,9   g) 75 740
   h) 432,7   h) 6,204   h) 413
   i) 59 100   i) 70   i) 3,28
   j) 8,28   j) 0,485   j) 6,937
6. a) 100,13 b) 2818,34 c) 3118,682 d) 553,45

Page 53
7.

	+ 69,73	− 46,4	X 8	X 3,7	÷ 2
237,9	307,63	191,5	1903,2	880,23	118,95
504,68	574,41	458,28	4037,44	1867,316	252,34
383	452,73	336,6	3064	1417,1	191,5
852,07	921,8	805,67	6816,56	3152,659	426,035
99,4	169,13	53	795,2	367,78	49,7
100,55	170,28	54,15	804,4	372,035	50,275
478,3	548,03	431,9	3826,4	1769,71	239,15
63,29	133,02	16,89	506,32	234,173	31,645

a) 574,41; 4037,44; 804,4; 3826,4
b) 307,63; 880,23; 452,73; 426,035; 169,13; 372,035; 548,03
c) 426,035; 372,035; 50,275; 31,645
d) 118,95; 458,28; 548,03
e) 574,41; 170,28; 372,035
f) 252,34; 239,15; 234,173

TEST 6.1
Page 54
1. a) Il lui en coûtera 755,01 $ pour s'équiper.
   b) Les 5 chandails sont plus dispendieux que les 13 bâtons.
      La différence de prix entre ces deux ensembles est de 60,74 $.

Page 55
2. a) 0,22 $ CAN b) 81,51 $ CAN c) 37,98 $ CAN d) 1,05 $ CAN
   e) 4,16 $ CAN f) 39,04 $ CAN g) 20,47 $ CAN h) 3,01 $ CAN
3. Le voilier se déplace à une vitesse de 60,375 km/h.

EXERCICES 2
Page 56
1. a) 359,16 b) 76,26 c) 54,15 d) 5,562 e) 68,2 f) 734,719
   g) 963,61 h) 9,706 i) 237,89 j) 42,073
2. a) 552,39 + 64,58 = 616,97   b) 379,526 − 86,39 = 293,136
   c) 8,65 x 9 = 77,85   d) 264,54 ÷ 3 = 88,18
   e) 69,79 + 236,32 = 306,11   f) 700 − 34,23 = 665,77
   g) 9,572 x 47 = 449,884   h) 817,5 ÷ 25 = 32,7
   i) 36,82 + 459,5 + 7,943 = 504,263

Page 57
3.

	+ $\frac{4}{100}$	+ $\frac{67}{1000}$	− $\frac{9}{10}$	x 6^2	÷ $\sqrt{16}$
504,08	504,12	504,147	503,18	18 146,88	126,02
293,656	293,696	293,723	292,756	10 571,616	73,414
89,3	89,34	89,367	88,4	3214,8	22,325
77,72	77,76	77,787	76,82	2797,92	19,43
638,9	638,94	638,967	638	23 000,4	159,725
3000	3000,04	3000,067	2999,1	108 000	750
56,384	56,424	56,451	55,484	2029,824	14,096
912,552	912,592	912,619	911,652	32 851,872	228,138

4. a) 6 b) 8,59 c) 3 d) 93,327 e) 43,7 f) 3,679 g) 8 h) 58,43 i) 4,4

Page 58
5. a) Il fait 5,9 °C au Danemark.
   b) L'avion vole à une vitesse de 574,2 km/h.
   c) Jacob a un montant de 157,29 $ dans son porte-monnaie.
   d) Le pèse-personne affiche un poids de 97,68 kg.
   e) L'écrivain prendra 76 jours pour écrire ce roman.

TEST 7
Page 59
1. $\frac{1}{8}$ de la production est réservé pour la confection de sacs à main et de bandeaux.
2. L'Autrichien s'est rendu le plus loin dans l'ascension du mont Kilimandjaro, soit les $\frac{8}{9}$.
3. La fraction du pouding-chômeur qui n'a pas été mangée est $\frac{2}{27}$.

EXERCICES 1
Page 60
1. a) $\frac{9}{20}$ b) $\frac{7}{8}$ c) $\frac{1}{2}$ d) $\frac{7}{10}$ e) $\frac{5}{16}$ f) $\frac{3}{4}$ g) $\frac{5}{9}$ h) $\frac{11}{14}$ i) $\frac{5}{12}$ j) $\frac{5}{6}$ k) $\frac{2}{3}$ l) $\frac{2}{3}$

Page 61
2. a) $\frac{3}{4}$ b) $2\frac{2}{5}$ c) $3\frac{8}{9}$ d) $4\frac{1}{6}$ e) 6 f) $1\frac{1}{7}$ g) $1\frac{4}{5}$ h) 3 i) $2\frac{1}{2}$ j) $1\frac{3}{4}$ k) $5\frac{1}{2}$ l) $4\frac{1}{5}$

3. a) $(8 \times \frac{3}{8}) - \frac{3}{4} = \frac{24}{8} - \frac{3}{4} = \frac{24}{8} - \frac{6}{8} = \frac{18}{8} = 2\frac{2}{8} = 2\frac{1}{4}$
   b) $\frac{9}{4} - (3 \times \frac{7}{16}) = \frac{9}{4} - \frac{21}{16} = \frac{36}{16} - \frac{21}{16} = \frac{15}{16}$
   c) $(6 \times \frac{2}{5}) = \frac{9}{10} = \frac{12}{5} + \frac{9}{10} = \frac{24}{10} + \frac{9}{10} = \frac{33}{10} = 3\frac{3}{10}$
   d) $\frac{65}{12} - (4 \times \frac{5}{6}) = \frac{65}{12} - \frac{20}{6} = \frac{65}{12} - \frac{40}{12} = \frac{25}{12} = 2\frac{1}{12}$
   e) $\frac{1}{2} + (5 \times \frac{5}{8}) - \frac{3}{4} = \frac{1}{2} + \frac{25}{8} - \frac{3}{4} = \frac{4}{8} + \frac{25}{8} - \frac{6}{8} = \frac{23}{8} = 2\frac{7}{8}$

4. a) $(8 \times \frac{2}{3}) - (8 \times \frac{1}{6}) = \frac{16}{3} - \frac{8}{6} = \frac{32}{6} - \frac{8}{6} = \frac{24}{6} = 4$
   b) $(3 \times \frac{2}{5}) + (3 \times \frac{3}{10}) = \frac{6}{5} + \frac{9}{10} = \frac{12}{10} + \frac{9}{10} = \frac{21}{10} = 2\frac{1}{10}$
   c) $(5 \times \frac{11}{16}) - (5 \times \frac{1}{2}) = \frac{55}{16} - \frac{5}{2} = \frac{55}{16} - \frac{40}{16} = \frac{15}{16}$
   d) $(6 \times \frac{1}{3}) + (6 \times \frac{4}{9}) = \frac{6}{3} + \frac{24}{9} = \frac{18}{9} + \frac{24}{9} = \frac{42}{9} = 4\frac{6}{9} = 4\frac{2}{3}$
   e) $(7 \times \frac{19}{20}) - (7 \times \frac{4}{5}) = \frac{133}{20} - \frac{28}{5} = 1\frac{33}{20} - \frac{112}{20} = \frac{21}{20} = 1\frac{1}{20}$

TEST 7.1
Page 62
1. Le médecin a examiné le bras de Cédric à 1 h 45.
2. Il reste 300 ml de jus de fruits pour Madeleine.
3. 11 fusées se sont envolées à plus de 5 m du sol.

EXERCICES 2
Page 63
1. Colorier les équations suivantes :
   $\frac{1}{4} + \frac{3}{8} + \frac{6}{16}; \frac{2}{20} + \frac{1}{5} + \frac{7}{10}; \frac{4}{15} + \frac{1}{5} + \frac{16}{30}; \frac{10}{28} + \frac{3}{14} + \frac{3}{7}$
2. Colorier les équations suivantes : $\frac{4}{5} - \frac{3}{10}; \frac{5}{6} - \frac{6}{18}; \frac{5}{7} - \frac{3}{14}; \frac{9}{10} - \frac{2}{5}$
3. a) $1\frac{1}{4}$ b) $1\frac{5}{6}$ c) $1\frac{3}{8}$ d) $1\frac{9}{10}$ e) $1\frac{3}{7}$ f) $1\frac{8}{9}$

Page 64
4. Colorier les équations suivantes : $\frac{2}{3} + \frac{7}{18} + \frac{5}{6}; \frac{3}{16} + \frac{3}{4} + \frac{3}{8};$
   $\frac{9}{14} + \frac{5}{28} + \frac{4}{7}; \frac{8}{15} + \frac{17}{30} + \frac{2}{5}; \frac{3}{4} + \frac{5}{24} + \frac{1}{8}; \frac{49}{100} + \frac{17}{50} + \frac{3}{5}$
5. a) $(\frac{8}{9} - \frac{3}{9}) \times 7 = \frac{5}{9} \times 7 = \frac{35}{9} = 3\frac{8}{9}$
   b) $\frac{6}{2} + \frac{40}{6} = \frac{18}{6} + \frac{40}{6} = \frac{58}{6} = 9\frac{4}{6} = 9\frac{2}{3}$

c) $\frac{20}{7} - (\frac{42}{21} - \frac{17}{21}) = \frac{20}{7} - \frac{25}{21} = \frac{60}{21} - \frac{25}{21} = \frac{35}{21} = 1\frac{14}{21} = 1\frac{2}{3}$

d) $3 \times (\frac{9}{15} + \frac{8}{15}) = 3 \times \frac{17}{15} = \frac{51}{15} = 3\frac{6}{15} = 3\frac{2}{5}$

e) $(\frac{10}{16} + \frac{3}{16}) + \frac{4}{8} - \frac{1}{4} = \frac{13}{16} + \frac{8}{16} - \frac{4}{16} = \frac{17}{16} = 1\frac{1}{16}$

6.

	x 3	$+\frac{5}{24}$	$-\frac{1}{24}$	x 7	$x 4 + \frac{1}{2}$	$x 6 - \frac{9}{24}$
$\frac{1}{2}$	$1\frac{1}{2}$	$\frac{17}{24}$	$\frac{11}{24}$	$3\frac{1}{2}$	$2\frac{1}{2}$	$2\frac{5}{8}$
$\frac{3}{4}$	$2\frac{1}{4}$	$\frac{23}{24}$	$\frac{17}{24}$	$5\frac{1}{4}$	$3\frac{1}{2}$	$4\frac{1}{8}$
$\frac{5}{6}$	$2\frac{1}{2}$	$1\frac{1}{24}$	$\frac{19}{24}$	$5\frac{5}{6}$	$3\frac{5}{6}$	$4\frac{5}{8}$
$\frac{3}{8}$	$1\frac{1}{8}$	$\frac{7}{12}$	$\frac{1}{3}$	$2\frac{5}{8}$	2	$1\frac{7}{8}$
$\frac{11}{12}$	$2\frac{3}{4}$	$1\frac{1}{8}$	$\frac{7}{8}$	$6\frac{5}{12}$	$4\frac{1}{6}$	$5\frac{1}{8}$
$\frac{15}{24}$	$1\,7/8$	$\frac{5}{6}$	$\frac{7}{12}$	$4\frac{3}{8}$	3	$3\frac{3}{8}$

TEST 8
Page 65
1.

Réponse : L'instrument de prédilection du père de Sébastien est le microscope.

EXERCICES 1
Page 66
1. A (-5, 0) B (-4, 0) C (-5, -1) D (-7, 0) E (-9, 1) F: (-9, 3) G: (-10, 4)
H: (-11, 3) I: (-11, 2) J: (-13, 2) K: (-14, 1) L: (-12, 1) M: (-13, 0) N: (-13, -1)
O: (-11, -1) P: (-12, -2) Q: (-11, -3) R: (-10, -3) S: (-9,-1) T: (-8, -2)
U: (-6, -3) V: (-4,-2) W: (-4, -4) X: (-3, -5) Y: (-5, -5) Z: (-7, -6) AA: (-8, -9)
BB: (-9, -10) CC: (-10, -9) DD: (-11, -9) EE: (-13, -10) FF: (-13, -11)
GG: (-12, -12) HH: (-10, -13) II: (-9, -12) JJ: (-8, -12) KK: (-6, -11) LL: (-5, -8)
MM: (-3, -7) NN: (-3, -11) OO: (-6, -12) PP: (-7, -13) QQ: (-7, -14) RR: (-4, -14)
SS: (-3, -13) TT: (-1, -13) UU: (0, -12) VV: (-1, -10) WW: (0, -8)

Page 67
2.

3.

Page 68
4.

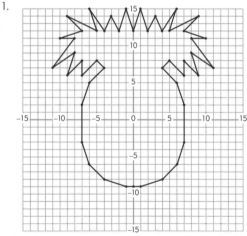

Réponse : La bestiole qui s'est faufilée dans le sac de couchage est un lézard ou une salamandre.

TEST 8.1
Page 69
1. a) Saskatchewan b) Nunavut c) Yukon d) Ontario
   e) Colombie-Britannique f) Terre-Neuve-et-Labrador
   g) Territoires du Nord-Ouest

EXERCICES 2
Page 70
1.

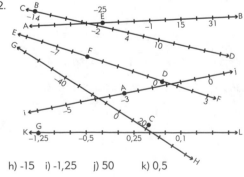

Les 23 nouvelles coordonnées sont : (1, 15) (2, 12) (3, 14) (4, 12)
(6, 15) (5, 12) (9, 14) (7, 12) (10, 11) (8, 11) (11, 7) (8, 9) (9, 6)
(7, 8) (7, 6) (5, 8) (4, 7) (6, 5) (7, 2) (7, -3) (6, -6) (4, -8) (1, -9)

Page 71
2.

h) -15   i) -1,25   j) 50   k) 0,5

TEST 9
Page 72
1. Les 14 niches comportent 532 faces, 728 sommets et 1092 arêtes.
2. Les figures planes suivantes entrent dans la composition
   des polyèdres servant à assembler le modèle :
   4 triangles, 6 carrés, 23 rectangles et 2 pentagones.
3. Les 3 polyèdres qui composent le satellite sont : 2 pyramides à base
   triangulaire et 1 cube.

EXERCICES 1
Page 73
1. a) 8 sommets – 12 arêtes + 6 faces = 2
   b) 4 sommets – 6 arêtes + 4 faces = 2
   c) 10 sommets – 15 arêtes + 7 faces = 2
   d) 8 sommets – 12 arêtes + 6 faces = 2
   e) 6 sommets – 10 arêtes + 6 faces = 2
   f) 10 sommets – 15 arêtes + 7 faces = 2
   g) 16 sommets – 24 arêtes + 10 faces = 2
   h) 8 sommets – 12 arêtes + 6 faces = 2
   i) 20 sommets – 30 arêtes + 12 faces = 2

Page 74
2. a) 3 carrés + 1 rectangle + 2 trapèzes
   b) 3 carrés + 1 rectangle + 2 trapèzes
   c) 1 carré + 4 triangles
   d) 3 carrés + 2 rectangles + 2 pentagones
   e) 8 triangles
   f) 3 carrés + 2 triangles
   g) 5 triangles + 1 pentagone
   h) 2 carrés + 4 rectangles
   i) 12 rectangles + 2 dodécagones

TEST 9.1
Page 75
1. Les polyèdres

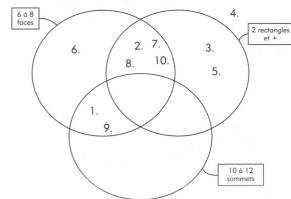

EXERCICES 2
Page 76
1.

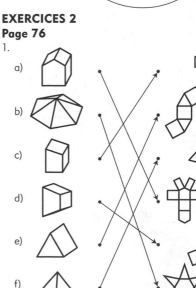

2. a) polyèdre à 6 faces b) polyèdre à 10 faces c) polyèdre à 4 faces
   d) polyèdre à 8 faces e) polyèdre à 12 faces f) polyèdre à 5 faces
   g) polyèdre à 9 faces h) polyèdre à 7 faces i) polyèdre à 11 faces

Page 77
3.

	a)	b)	c)	d)	e)	f)	g)	h)	i)	j)	k)	l)
Faces	8	10	5	6	5	10	7	6	6	7	10	8
Sommets	12	16	6	8	6	16	10	8	8	10	16	12
Arêtes	18	24	9	12	9	24	15	12	12	15	24	18

PAGE 78
Test 10
1.

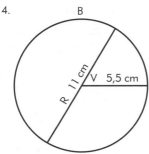

Légende :   B = bleu R = rouge J = jaune M = mauve

2.
Triangles scalène	Triangles rectangles	Triangles isocèles	Triangles équilatéraux
C G	B H J	E F	A D I

Page 79
3. a) ∠ A = 70 degrés
      ∠ B = 40 degrés
      ∠ C = 70 degrés
   b) ∠ A = 55 degrés
      ∠ B = 90 degrés
      ∠ C = 35 degrés
   c) ∠ A = 80 degrés
      ∠ B = 50 degrés
      ∠ C = 50 degrés
   d) ∠ A = 25 degrés
      ∠ B = 125 degrés
      ∠ C = 30 degrés

4.
B, R 11 cm, V, 5,5 cm

EXERCICES 1
Page 80
1. a) Accepter tout croquis qui respecte la consigne : triangle rectangle.
   b) Accepter tout croquis qui respecte la consigne : triangle scalène.
   c) Accepter tout croquis qui respecte la consigne : triangle isocèle.
   d) Accepter tout croquis qui respecte la consigne : triangle équilatéral.
2. a) 50 degrés b) 56 degrés c) 48 degrés d) 37 degrés

Page 81
3. a) ∠ ABC = 70 degrés   ∠ supplémentaire : 110 degrés
   b) ∠ DEF = 30 degrés   ∠ supplémentaire : 150 degrés
   c) ∠ GHI = 105 degrés   ∠ supplémentaire : 75 degrés
   d) ∠ JKL = 35 degrés   ∠ supplémentaire : 145 degrés
   e) ∠ MNO = 90 degrés   ∠ supplémentaire : 90 degrés
   f) ∠ PQR = 150 degrés   ∠ supplémentaire : 30 degrés
   g) ∠ STU = 55 degrés   ∠ supplémentaire : 125 degrés
   h) ∠ VWX = 120 degrés   ∠ supplémentaire : 60 degrés

Page 82
4. a) polygone à 7 côtés b) polygone à 10 côtés c) polygone à 4 côtés
   d) polygone à 9 côtés e) polygone à 6 côtés f) polygone à 3 côtés
   g) polygone à 5 côtés h) polygone à 11 côtés i) polygone à 12 côtés
   j) polygone à 8 côtés
5. a)   b)   c)

   d)   e)   f)

Page 83
6. a) ∠ ABC = 24 degrés   ∠ complémentaire : 66 degrés
   b) ∠ DEF = 58 degrés   ∠ complémentaire : 32 degrés
   c) ∠ GHI = 63 degrés   ∠ complémentaire : 27 degrés
   d) ∠ JKL = 49 degrés   ∠ complémentaire : 41 degrés
7.
Angles aigus	Angles droits	Angles obtus	Angles plats	Angles rentrants
B G H	E J	A D I L	C	F K

TEST 10.1
Page 84
1. L'angle au centre de la pointe de tarte de Gaston mesure 43 °.
2. La mesure de la circonférence du cercle est de 25,14 m.

3.

Quadrilatère de Sonia

Triangle de Michael

Page 85

4. a) 176 dm b) 135 cm c) 233 mm d) 185 m e) 402 dm f) 251 cm

5. a) ∠ complémentaire : 22 °   ∠ supplémentaire : 112 °
   b) ∠ complémentaire : 63 °   ∠ supplémentaire : 153 °
   c) ∠ complémentaire : 51 °   ∠ supplémentaire : 141 °
   d) ∠ complémentaire : 39 °   ∠ supplémentaire : 129 °
   e) ∠ complémentaire : 16 °   ∠ supplémentaire : 106 °
   f) ∠ complémentaire : 44 °   ∠ supplémentaire : 134 °
   g) ∠ complémentaire : 75 °   ∠ supplémentaire : 165 °
   h) ∠ complémentaire : 8 °   ∠ supplémentaire : 98 °

EXERCICES 2
Page 86

1. a) Les angles du triangle dessiné doivent respectivement mesurer
      52, 46 et 82 degrés.
   b) Les angles du triangle dessiné doivent respectivement mesurer
      90, 30 et 60 degrés.
   c) Les côtés du triangle dessiné doivent tous mesurer 3,4 cm
      de long et ses angles doivent tous mesurer 60 degrés.
   d) Les angles du triangle dessiné doivent respectivement mesurer
      55, 70 et 55 degrés.
   e) Le cercle dessiné doit avoir un diamètre de 5 cm, un rayon
      de 2,5 cm et une circonférence d'environ 15,7 cm.
   f) Le cercle dessiné doit avoir un diamètre de 5,6 cm, un rayon
      de 2,8 cm et une circonférence d'environ 17,6 cm.

Page 87

2. a) ∠ formé par les rayons A et B = 65 °
      ∠ formé par les rayons B et C = 55 °
      ∠ formé par les rayons C et D = 40 °
      ∠ formé par les rayons D et E = 110 °
      ∠ formé par les rayons E et A = 90 °
   b) ∠ formé par les rayons A et B = 25 °
      ∠ formé par les rayons B et C = 100 °
      ∠ formé par les rayons C et D = 50 °
      ∠ formé par les rayons D et E = 15 °
      ∠ formé par les rayons E et A = 170 °
   c) ∠ formé par les rayons A et B = 60 °
      ∠ formé par les rayons B et C = 125 °
      ∠ formé par les rayons C et D = 60 °
      ∠ formé par les rayons D et E = 80 °
      ∠ formé par les rayons E et A = 35 °
   d) ∠ formé par les rayons A et B = 90 °
      ∠ formé par les rayons B et C = 125 °
      ∠ formé par les rayons C et D = 60 °
      ∠ formé par les rayons D et E = 35 °
      ∠ formé par les rayons E et A = 50 °

Page 88

3. a) Le rayon de la roue du vélo de Miguel mesure 30 cm.
   b) Chacun des deux autres angles du parallélogramme mesure
      117 degrés.
   c) Pénélope a disposé les 4 triangles
      de la façon suivante :
   d) Clément a utilisé 24 pailles pour former les rayons
      de son assiette.
   e) La somme de la mesure des angles des figures planes
      composant la pyramide à base carrée est de 1080 degrés.

TEST 11
Page 89

1. a)   b)

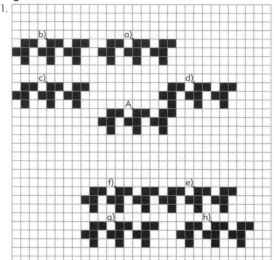

EXERCICES 1
Page 90

1.

Page 91

2. Coordonnées du point B : (H, 10) Coordonnées du point C : (V, 10)
   Coordonnées du point D : (V, 16) Coordonnées du point E : (N, 16)

TEST 11.1
Page 92

1. a) 8,5 cm et 15° vers le sud-ouest

   b) 7 cm et 10° vers le nord-est

2.

EXERCICES 2
Page 93
1.

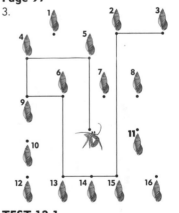

Page 94
2.

TEST 12
Page 95
1. a) > b) < c) = d) > e) < f) < g) > h) > i) = j) > k) > l) <
2. 27,53 cm; 32,45 cm; 37,24 cm; 543,2 mm; 2374 mm; 25,34 dm; 45,23 dm; 723,4 cm; 7243 mm; 7,342 m; 253,4 dm; 43,25 m; 243,5 m; 7324 dm; 2,453 km; 3,524 km; 3542 m; 4,235 km
3. a) 0,99 dm b) 124 mm c) 0,066 m d) 8,4 cm e) 1,35 dm
   f) 0,091 m

EXERCICES 1
Page 96
1.

	+ 179 mm	– 0,08 m	+ 4,5 cm	x 7	÷ 4
5,36 m	553,9 cm	528 cm	540,5 cm	3752 cm	134 cm
97,4 dm	991,9 cm	966 cm	978,5 cm	6818 cm	243,5 cm
8208 mm	838,7 cm	812,8 cm	825,3 cm	5745,6 cm	205,2 cm
678,3 cm	696,2 cm	670,3 cm	682,8 cm	4748,1 cm	169,6 cm
10 m	1017,9 cm	992 cm	1004,5 cm	7000 cm	250 cm

2. a) 43,2 dm b) 360 cm c) 3600 mm d) 50,4 dm e) 8,28 m

Page 97
3.

TEST 12.1
Page 98
1. Les spéléologues doivent franchir une distance de 193,25 m.
2. La distance entre Moscou et Hong Kong est d'environ 7201 km.
3. L'éleveur de bétail a planté 1965 poteaux pour clôturer son champ.
   Explications : Il faut diviser 8646 par 2 (2 broches entre chaque poteau), puis par 2,2 (distance entre chaque poteau).

EXERCICES 2
Page 99
1.

Entre 0 dm et 45 dm		Entre 46 dm et 90 dm		Entre 91 dm et 135 dm	
389 cm	725 mm	5 m	71,6 dm	9,5 m	13,3 m
914 mm	6,8 cm	462 cm	6,35 m	126 mm	1349 cm
2,6 m	1174 mm	8437 mm	498 cm	987 cm	
43,7 dm					

2. a) 3070 cm b) 0,23 m c) 1916 mm d) 13 400 cm
   e) 5,1 dm f) 41,33 dm g) 4506,4 cm h) 1688 mm
3. a) 52,2 m b) 74,7 cm c) 56 mm d) 14,31 dm
   e) 35,808 km f) 195,3 dm g) 7100 cm h) 1675,52 m

Page 100
4. Réponse : La concierge doit remplacer une ampoule électrique.

TEST 13
Page 101
1. La mesure de la surface de l'édifice est de 742,1 m².
2. La mesure de la surface du cerf-volant de Mathilde est de 2300 cm².
3. La mesure de la surface de la portion du quai qui n'est pas occupée par la cargaison du cargo est de 2088 m². (L'aire du quai étant de 3465 m² et celle occupée par les conteneurs étant de 1377 m².)

EXERCICES 1
Page 102
1. a) 592 cm² b) 477 dm² c) 3402 m² d) 2304 mm²
   e) 3332 dm² f) 3392 cm² g) 1800 mm² h) 308 m²
Page 103
2. a) 495 m² b) 162 m² c) 750,76 m² d) 420 m²

TEST 13.1
Page 104
1. La mesure de la surface de la portion occupée par les 100 verges est de 4466,62 m².
2. La mesure de la surface de la forêt est de 1443,3 km².
3. La mesure de la surface de tapis que le couvreur devra installer est de 6261 dm².

EXERCICES 2
Page 105
1. a) 1024 cm² b) 486 dm² c) 1500 m² d) 6561 mm²
   e) 3776 dm² f) 276 cm² g) 880 mm² h) 2592 m²
Page 106
2. a) périmètre = 81 m   aire = 364,5 m²
   b) périmètre = 40,5 m   aire = 101,25 m²
   c) périmètre = 76,5 m   aire = 263,25 m²
   d) périmètre = 130,5 m   aire = 850,5 m²
   e) périmètre = 81 m   aire = 410,1 m²
   f) périmètre = 220,5 m   aire = 2673 m²

TEST 14
Page 107
1. La marmotte peut y entasser un volume de provisions de 60 552 cm³.
2. Les 4 réservoirs contiennent ensemble un volume d'eau de 418,7 m³.
3. Sébastien peut ranger 102 boîtes de revues dans l'armoire.

EXERCICES 1
Page 108
1. a) 22 460,625 cm³ b) 17 781,12 mm³ c) 7838,208 dm³
   d) 366 000 m³ e) 23 500 cm³ f) 14 336 dm³
   g) 63 798 m³ h) 41 472 mm³
Page 109
2. a) La longueur du prisme à base rectangulaire est de 15 cm.
   b) La largeur du prisme à base rectangulaire est de 16 dm.
   c) La hauteur du prisme à base rectangulaire est de 15 mm.
   d) Le volume du prisme à base rectangulaire est de 7896 cm³.
   e) La largeur du prisme à base rectangulaire est de 50 mm.

TEST 14.1
Page 110
1. L'agriculteur peut entreposer 2184 ballots de foin dans sa grange.
2. Le volume de la cabine touriste de l'avion est de 1159,2 m³.
3. Les 77 camions peuvent transporter un volume de neige de 17 023,5 m³ en 5 chargements.
4. Un volume de 13 155 dm³ se retrouve dans le reste de la salle de bain.

EXERCICES 2
Page 111
1. a) 17,5 m³   b) 12 750 dm³   c) 1248 m³   d) 6048 cm³
   e) 75 776 mm³   f) 536 625 dm³   g) 1,696 m³   h) 21 000 cm³
Page 112
2. a) Le volume compris dans l'espace sous l'escalier est de 421 200 cm³.
   b) La hauteur de l'édifice est de 40 m.
   c) Le volume de la boîte est de 46,08 dm³.
   d) Juliette peut placer 45 sandwichs dans son panier.

TEST 15
Page 113
1. La capacité de la marmite est de 9,15 l.
2. Marc peut boire 547,5 l d'eau en une année.
3. 9,912 ml d'eau auront été gaspillés après une semaine à cause du robinet qui fuit.
4. Le marchand devra déposer 45 poids de métal sur le plateau.

EXERCICES 1
Page 114
1. a) 14,45 l   b) 7504 ml   c) 10,685 l   d) 108,5 l
   e) 3400 ml   f) 61,5 l   g) 46,51 l   h) 1362 ml

TEST 15.1
Page 115
1. Daphnée devra répéter l'exercice 53 fois.
2. Il faut 4 camions-citernes pour approvisionner 37 maisons en mazout.
3. 22 572 l d'eau sont acheminés quotidiennement vers l'usine de traitement des eaux usées.
4. Le kangourou pèse environ 90 kg, et le wombat, environ 45 kg.

EXERCICES 2
Page 116
1. a) 25 660 g   b) 50,4 kg   c) 17 370 g   d) 85 kg
   e) 13 780 g   f) 30,53 kg   g) 6700 g   h) 42,03 kg

TEST 16
Page 117
1. La mère de Nathan doit préchauffer le four à 400 °C.
2. L'écart de température que subit la Lune est de 300 °C.
3. La température à la surface du Soleil est 162 fois plus élevée que celle à l'intérieur du corps humain.

EXERCICES 1
Page 118
1. a)

2. La température annuelle moyenne de la ville de Sherbrooke pour les 6 mois les plus chauds de l'année est 13,3 °C.

TEST 16.1
Page 119
1. L'écart de température entre le zéro absolu et la température de vaporisation de l'eau est de 373,11 °C.
2. a) 22,7 °C   b) 6,83 °C   c) 16 °C
3. La température moyenne à Whitehorse pour le mois d'avril est de 0 °C.

EXERCICES 2
Page 120
1. a) Yellowknife   b) Vancouver   c) 17 °C   d) 0 °C   e) 10 °C

TEST 17
Page 121
1. a) 498 kWh   b) 132 kWh   c) 1557 kWh   d) 60 kWh   e) 710 kWh
Page 122
2. a) 283 030   b) 185 696   c) 96 655   d) 43 595   e) 12 971
Page 123
3. Les pêcheurs attrapent en moyenne 711 crustacés chaque jour.
4. a) Possibilités : 6
   Combinaisons : GÉO, GOÉ, ÉOG, ÉGO, OGÉ, OÉG
   b) Possibilités : 24
   Combinaisons : MATH, MAHT, MTAH, MTHA, MHAT, MHTA, TAMH, TAHM, THMA, THAM, TMAH, TMHA, AMHT, AMTH, ATHM, ATMH, AHMT, AHTM, HMTA, HMAT, HTAM, HTMA, HATM, HAMT
5. a) 1 chance sur 32   b) 8 chances sur 32   c) 4 chances sur 32

EXERCICES 1
Page 124
1. a) 1125 $ b) 679,25 $ c) 51 086 $ d) 38 580 $ e) 115 $
Page 125
2. a) 281,94 $ b) 271,41 $ c) Au magasin C   d) 75,68 $ e) 44 $ f) 52,73 $
Page 126
3. a) 7,93   b) 57,5   c) 414,38   d) 7532,6   e) 3,09   f) 54,15
4. a)

b) La probabilité est de 6 chances sur 16 ou de 0,375.
c) La probabilité est de 4 chances sur 16 ou 0,25.
Page 127
5. a) La probabilité est de 1 chance sur 8 ou 0,125.
   b) On peut former 60 nombres différents de 3 chiffres.
   c) La probabilité est de 54 chances sur 72 ou 0,75.
   d) La probabilité est de 8 chances sur 32 ou 0,25.
Page 128
6. Les combinaisons possibles sont : roche-papier; roche-ciseau; papier-roche; papier-ciseau; ciseau-papier; ciseau-roche.
7. La probabilité de réussir est de 9 chances sur 32 ou 0,5.

TEST 17.1
Page 129
1. a) 76   b) 86   c) 79   d) 76   e) 0
Page 130
2.

	0 à 14 ans	15 à 29 ans	30 à 44 ans	45 à 59 ans	60 à 74 ans	75 ans et +
Nombre d'habitants	522	696	1392	1740	986	464

3. Les six combinaisons possibles sont :
   BCDEFG, ABDEFG, ABCEFG, ABCDFG, ABCDEF et ABCDEG.

EXERCICES 2
Page 131
1.

Page 132
2.

Page 133
3. a) 38 médailles de bronze   b) 16 médailles d'argent
   c) 63 médailles   d) 20 médailles   e) 45 points
Page 134
4. Réponses variées pour le tableau : en réalité, Gontran devrait maintenir son poids, car il a autant de chances de manger un aliment sain qu'un aliment malsain.